L'ART DE L'AMOUR AU MOYEN ÂGE

OBJETS ET SUJETS DU DÉSIR

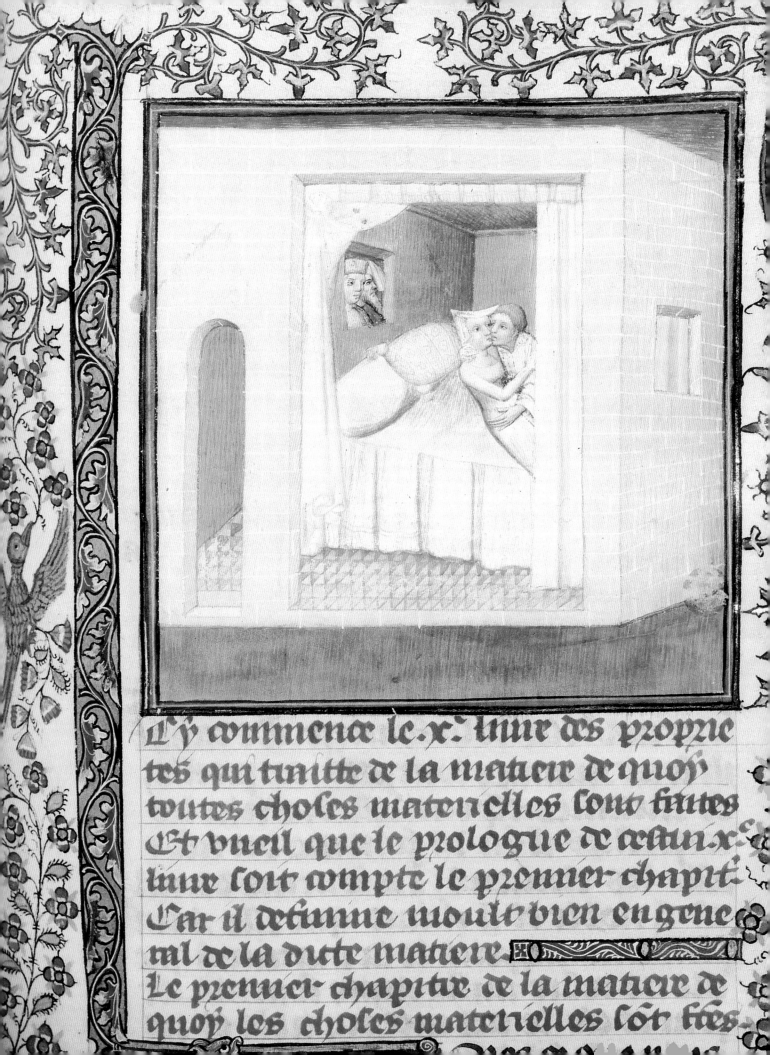

Icy commence le .x. liure des propie
tes qui tiaitte de la mateie de quoy
toutes choses materielles sont faites
Et vueil que le prologue de cestui .x.
liure soit compte le premier chapit
car il detenue moult bien en gene
ral de la dicte matiere

Le premier chapitre de la matiere de
quoy les choses materielles sont tres

L'ART DE L'AMOUR
AU MOYEN ÂGE

OBJETS ET SUJETS

DU DÉSIR

MICHAEL CAMILLE

KÖNEMANN

REMERCIEMENTS

Ce livre n'aurait pu être achevé sans le concours de bon nombre de mes étudiants, amis et collègues, mais je tiens à remercier en particulier Carla Dunham, Kathryn Duys, Nancy Gardner, Malcolm Jones et Paul Williamson pour leur assistance. Susan Bolsom-Morris et Kara Hattersley-Smith ont donné vie au texte et aux images, et je le dédie – par une heureuse coïncidence un jour de Saint-Valentin, à Paris – à S.M. «de tout mon cœur» (pour emprunter la devise figurant sur l'un des magnifiques objets reproduits ici).

Frontispice : Bartholomeus Anglicus, *Livre des Propriétez des choses*, Paris, vers 1400. Wolfenbüttel, Herzog-August-Bibliothek.

Page 6 : Jérôme Bosch, *À l'intérieur de la bulle d'amour*, détail du *Jardin des délices*, vers 1510, Madrid, Museo del Prado.

Titre original : *The Medieval Art of Love*

Conception : Cara Gallardo, Area
Documentation iconographique : Susan Bolsom-Morris

Traduction de l'anglais : Ann Sautier-Greening et Béatrice de Brimont
Réalisation et coordination éditoriale : Belle Page, Boulogne
PAO : Critères, Paris
Lecture : Marie-Odile Mauchamp
Fabrication : Ursula Schümer
Impression et reliure : Kossuth Nyomda

Imprimé en Hongrie
ISBN 3-8290-2861-x

SOMMAIRE

LA MALADIE DE L'AMOUR

PRÉFACE

Un «art» peut être une habileté ou un savoir-faire et le titre que j'ai choisi, *L'Art de l'amour au Moyen Âge*, est censé évoquer précisément cette notion de connaissances empiriques, ainsi que les célèbres traités anacréontiques du passé, tels l'*Ars amatoria* (*L'Art d'aimer*) du poète latin Ovide ou le *De amore* d'André Le Chapelain (Andreas Capellanus), un ecclésiastique du XIIe siècle, traduit en français sous le titre *Traité de l'amour courtois*. Toutefois, le terme «art» devrait également suggérer au lecteur moderne le pouvoir spécifique des signes picturaux, plutôt que celui des mots, dans l'élaboration du désir. Il faut admettre que, dans des ouvrages comme celui-ci, destinés à un grand public, les œuvres d'art médiévales sont trop souvent reproduites comme s'il s'agissait seulement d'«illustrations» de la réalité historique. Ces «images de la vie au Moyen Âge» sont présentées – contrairement aux règles de la critique – en tant que reflets de textes littéraires ou de concepts plutôt que comme des objets en soi. Elles se fondent dans le vaste réservoir d'images médiatiques qui circulent à travers le monde, et apparaissent de nos jours sur des objets aussi divers que cartes de vœux, écrans d'ordinateur, calendriers ou tasses et soucoupes. J'espère ici traiter ces œuvres non pas en tant qu'images mais en tant qu'objets signifiants, exécutés pour des cérémonies, des intentions ou des moments spécifiques. Souvent offerts à des femmes par des hommes, mais également parfois par des femmes à des hommes, ces somptueux objets incarnaient l'expérience médiévale amoureuse plutôt qu'ils ne la reflétaient. Ils pouvaient indiquer le statut d'un couple ou légitimer son mariage en même temps qu'ils lui offraient des images sophistiquées de maîtrise des sens, de soumission et de désir.

Le désir avait la même acception antinomique au Moyen Âge qu'aujourd'hui : une envie de quelque chose qui ne peut jamais être satisfaite. Une fois assouvi, le désir meurt, donc le plaisir du désir réside dans son perpétuel ajournement. Selon Georges Duby, spécialiste de l'amour et du mariage au Moyen Âge, «l'historien ne peut [...] mesurer la part du désir» ; c'était pourtant le projet du philosophe Michel Foucault, dont l'ouvrage resté inachevé : *Histoire de la sexualité* (1976) tentait d'évaluer «les pratiques par lesquelles les individus étaient amenés à concentrer leur attention sur eux-mêmes, à déchiffrer, reconnaître et se reconnaître en tant que sujets de désir» . En tant qu'historien d'art, je m'intéresse moins à mesurer le désir qu'à comprendre son rôle dans la création d'objets et de sujets. Ces termes repris dans le sous-titre, peuvent d'un certain point de vue être simplement considérés comme les «objets», c'est-à-dire les choses splendides reproduites ici, et comme leurs «sujets», à savoir leurs thèmes. Mais le mot *sujet* a deux autres sens qui sont pertinents ici. On peut être *sujet* dans le sens «être sous le contrôle ou la domination d'autrui», mais aussi dans l'acception «être pensant». Dans le domaine de la psychanalyse, ce dernier sens du terme *sujet,* souvent opposé à celui d'*objet,* implique une capacité d'automotivation et une volonté intrinsèque par opposition à la passivité muette de la chose externe. L'amant de l'époque médiévale pouvait disposer de ces deux acceptions du mot *sujet* qui lui permettaient de se présenter comme le *sujet* de sa dame et comme le maître de sa propre subjectivité sensorielle et longanime. En revanche, l'*objet* était là où il projetait son désir, sur la bien-aimée belle, vide et isolée, le corps féminin distant, immobile et inaccessible, de plus en plus identifié à l'œuvre d'art elle-même.

7

1. L'Amant capturé par sa dame (détail de l'ill. 4, page 11).

LES RELIQUES
PERDUES DE L'AMOUR

Le *Laostic* ou «Le Rossignol» est l'un des lais les plus poignants écrits au XIIᵉ siècle, à la cour du roi Henri II Plantagenêt, par Marie de France, la première poétesse française connue. Il raconte l'histoire de l'amour entre une jeune épouse et son voisin. Les deux jeunes gens pouvaient se regarder, voire tenir une conversation, de leur fenêtre respective, au milieu de la nuit, mais ils ne pouvaient, selon les mots de Marie, «se rejoindre à leur guise, car la dame était surveillée de près». Un jour, le mari méfiant demande à son épouse pourquoi elle quitte leur lit et où elle va. Elle lui répond qu'elle se lève pour écouter le chant doux et mélancolique d'un rossignol qui «me remplit d'un tel bonheur [...] que je ne peux pas fermer l'œil». Après avoir fait capturer l'oiseau par ses domestiques, le mari furieux l'apporte, encore vivant, dans la chambre de son épouse, où il le tue en lui tordant le cou, puis,

«il jette sur la dame le cadavre, qui tache de sang sa robe, sur le devant, juste à l'endroit du cœur». On retrouve ces allusions à un sacrifice religieux dans les dernières lignes du poème, qui décrivent la confection d'un magnifique «reliquaire» façonné par les deux amants contrariés, un coffret qui symbolise leur amour jamais consommé. La dame enveloppe l'oiseau «dans une étoffe de soie sur laquelle elle a brodé leur histoire en lettres d'or». Puis un domestique l'apporte au jeune chevalier qui «a fait forger un coffret, qu'il n'a pas voulu de fer ni d'acier, mais d'or fin serti des pierres les plus précieuses, avec un couvercle bien fixé : il y a placé le rossignol puis il a fait sceller cette châsse que désormais il a toujours gardée près de lui». À l'instar du précieux «reliquaire» du rossignol décrit par Marie, les somptueux objets dont il sera question et qui sont reproduits dans ce livre sont des souvenirs et des incarnations de l'amour.

2. Troubadour et danseuse.
Chapiteau en calcaire, vers 1230. Cloître du monastère
de Santa Maria de l'Estany, Espagne.

LA PASSION DU TROUBADOUR

Un petit coffret du XIIᵉ siècle en émail de Limoges conservé au British Museum de Londres brille tout autant qu'une châsse reliquaire de trésor d'église (ill. 1 et 4). Des aplats mouchetés d'émail turquoise, vert et blanc se détachent sur un fond d'or incisé de motifs floraux (dit «vermiculé»), une technique d'abord développée par les orfèvres du sud de la France. Cependant, ce n'est pas la passion du Christ ou des saints qui est représentée ici, mais un autre type de souffrance, plus agréable. Il célèbre non pas les relations entre l'Homme et son Dieu ineffable, mais les rapports entre l'homme et sa dame inaccessible. À gauche, un musicien accompagne une danseuse, une association qui apparaît parfois dans des contextes ecclésiastiques contemporains, notamment dans les sculptures de cloîtres, comme exemples des perversions du monde extérieur (ill. 2). Cependant, sur le coffret cette danse exprime non pas la damnation du corps mais la *joi* ou «joie» de la belle allégresse de la

jeunesse que célébrèrent d'abord les troubadours, ces poètes du sud de la France qui, à en croire de nombreux spécialistes, auraient «inventé» l'amour moderne. Un coffret contemporain, en bois peint, présente sur l'une de ses extrémités la même association de la musique et de la danse (ill. 3). Les personnages portent le même type de vêtements moulants et suggestifs, peut-être influencés – comme les chansons des troubadours eux-mêmes – par les traditions de l'Espagne mauresque, dévoilant les jambes et les seins du musicien et de la danseuse d'une manière qui devait sembler éminemment provocante aux yeux du spectateur du XIIᵉ siècle. La robe du musicien, fendue au niveau de la hanche, était considérée, au même titre que le fait d'avoir le visage glabre ou de se servir d'un miroir, comme l'un des vices insignes de la vanité masculine explicitement dénoncés par le prieur de Vigeois en 1184. Les hommes efféminés furent d'abord vilipendés non parce qu'ils souhaitaient ressembler aux femmes, mais parce qu'ils voulaient les séduire. Cette fureur

3. Troubadour et danseuse.
Coffret, vers 1180 (détail). Bois peint, 21 x 5,1 cm.
Vannes, trésor de la cathédrale.

4. Troubadour et danseuse, personnage tenant une épée et une clé, et amant capturé par sa dame.
Coffret, vers 1180. Émail de Limoges, 21,2 x 9,1 cm. Londres, British Museum.

cléricale est une réaction à la profonde transformation de la mentalité médiévale au XIIᵉ siècle – d'abord dans le sud de la France puis dans les cours du Nord – transformation dont témoigne ce coffret, attribué par certains spécialistes au «pays d'oc» et par d'autres au «pays d'oil».

Le troubadour limousin Bernard de Ventadour (vers 1145-1180) chanta son désir de devenir un oiseau et de voleter dans les airs avant de se poser au cœur de la maison de sa dame, ce qui explique l'oiseau volant entre le musicien et la danseuse sur le coffret de Limoges, qui symbolise également le désir du poète. L'oiseau qui vole vers le soleil de l'autre côté de la serrure évoque, lui aussi, un autre oiseau décrit

par Bernard : l'alouette qui vole vers ce qui causera sa mort. Sur le côté droit du coffret, un faucon est posé sur le poing de la dame, un nouveau symbole ailé du désir de l'amant, désormais entièrement soumis. De l'autre main, elle tient un jeune homme par le cou à l'aide des longs jets en cuir qui servaient à attacher le faucon au poing de son propriétaire (voir ill. 1). Cet homme lui appartient, comme l'indique clairement son agenouillement, associé à ses mains jointes. Dans une autre chanson, Bernard de Ventadour proclame qu'il est le vassal lige de sa dame partout où il se trouve, et lui promet, tête inclinée et mains jointes en signe de soumission absolue, de se livrer à son plaisir, et déclare vouloir rester à ses pieds jusqu'à ce qu'elle l'admette, par faveur, en son alcôve. On retrouve ces métaphores de la griserie de la capture dans le célèbre traité latin *De amore* qu'André Le Chapelain écrivit dans les années 1180 à la cour de la comtesse Marie de Champagne. André, qui était donc chapelain, c'est-à-dire ecclésiastique, rattache ici l'étymologie du mot « amour », *amor*, au verbe *hamare*, « attraper » ou « être pris à l'hameçon », « car celui qui aime est pris dans les chaînes du désir et il souhaite prendre l'autre à son hameçon ». De même, sur cette image d'émail, l'amant est à la fois chasseur et proie, à la fois maître et esclave de son propre désir.

Dans le midi de la France, où ce coffret fut exécuté, le terme *fin'amors* définit une forme fictive d'amour où l'on pouvait se référer à la dame comme *mi dons*, c'est-à-dire « mon seigneur ». L'attitude de l'amant sur le coffret rappelle le geste d'hommage, l'*immixtio manuum*, par lequel un vassal indiquait sa soumission, s'agenouillant et plaçant ses mains jointes entre celles de son seigneur. Ici, la femme adopte donc la position d'un homme puissant dans la hiérarchie féodale. Les cachets qui, dans la société chevaleresque, étaient des signes tangibles de la puissance personnelle, figurent parfois cette attitude et quelques-uns montrent même un chevalier rendant hommage à une dame (ill. 5). Cette image aurait donné de son propriétaire un reflet de son attitude chevaleresque, impliquant qu'il était « civilisé » du fait de sa dévotion à un idéal. En investissant sa maîtresse du pouvoir de juger et de contrôler son désir, l'homme élevait sa propre subjectivité en même temps qu'il niait celle de la dame, dont le désir est passé sous silence.

5. Un chevalier agenouillé rend hommage à sa dame. Cachet de Gérard de Saint-Aubert, 1199. Paris, Archives nationales.

Ce cachet a pu être utilisé pour la ratification d'opérations foncières, et le coffret de Limoges doit également être replacé dans le contexte des coutumes médiévales relatives aux biens et non pas être simplement considéré comme l'équivalent d'un vulgaire coffret à bijoux de dame. Au Moyen Âge, la propriété transmise par les hommes et constituant leur héritage inaliénable était la terre, connue en termes juridiques comme un bien immobilier. En revanche, la propriété « mobilière », censée avoir une valeur moindre, était généralement conservée dans des coffres. Or, ce sont ces « biens mobiliers », assimilés à la dot apportée par la famille de la mariée au moment du mariage – vêtements, bijoux et objets tel le coffret de Limoges – qui étaient transmis par les femmes. L'idéologie de la *fin'amors* tend à décrire le don comme un geste de l'homme envers la femme, de même que sur le coffret toute l'action – le regard des amants et les oiseaux de l'amour – se dirige vers la dame. Cependant, le trajet de la dot – la direction prise par les biens et l'argent – se faisait dans le sens opposé. Le mariage était en effet une forme d'échange de présents, dans lequel les hommes se liaient les uns aux autres par des liens de parenté, se servant des femmes comme monnaie et moyen d'échange. Les hommes aussi s'offraient souvent des cadeaux. Les spécialistes de la lyrique des troubadours ont démontré que, bien que fictivement adressés à une femme, ces poèmes pouvaient parfaitement célébrer le statut masculin et être adressés à de puissants seigneurs, entrant ainsi dans le jeu du pouvoir des hommes. Le coffret de Limoges, avec son couvercle décoré de rondeaux émaillés de guerriers et ses sujets de troubadour sur le panneau antérieur, pourrait donc avoir été un cadeau destiné à un noble seigneur par son vassal, de façon à établir un parallèle entre la position personnelle du donateur masculin vis-à-vis de son seigneur et celle d'un amant soumis à sa dame. Il s'agit moins d'un témoignage d'une relation personnelle que d'une déclaration publique relative au pouvoir.

Avant d'abandonner cet objet fascinant, il est important de noter que juste sous le fermoir du petit coffret – lieu de tous les dangers – se trouve un dernier personnage. Vêtu de noir, il brandit une épée du côté du couple qui danse et une clé du côté de l'autre couple. Accorde-t-il sa préférence à ces derniers et à leurs rapports consacrés par le système féodal plutôt qu'à la danse passionnée de l'autre couple ? Ce personnage, chaussé de chaussures de couleurs différentes, symbole, comme ses cheveux ébouriffés, de sa duplicité, est le seul à déborder du cadre. Cette figure apparaît également dans les récits des troubadours comme l'antithèse du noble amant, l'un de ces courtisans caqueteurs et mouchards, connus sous le nom de *lauzengiers*, toujours prêts à séparer les amants en tentant de capter l'attention de la dame. Outre son cor, symbole des gardiens des portes, notamment celles des villes, cet individu chétif tient une clé dirigée vers l'entrée de la serrure du coffret, ce qui confirme son rôle de gardien de son contenu. L'impossible contact charnel de l'amant avec sa dame est littéralement inscrit dans ce coffret dont l'ouverture est fort jalousement gardée. Cet objet avait été également conçu pour garder des secrets, tout comme le style de poésie des troubadours connu sous le nom de *trobar clos* ou «poésie fermée», que l'on appréciait pour ses allusions voilées et la complexité de son langage.

La plupart des thèmes qui seront traités en détail dans le reste de ce livre apparaissent sur ce coffret. Ils nous font découvrir toutes les étapes traditionnellement associées à l'amour, depuis le premier regard (*visus*) jusqu'au dialogue (*alloquium*), aux attouchements (*contactus*), au baiser (*oscula*), et à la consommation finale de l'acte sexuel (*factum*). Le premier chapitre traite de l'importance de la vue dans la théorie et la pratique de l'amour, d'ailleurs exprimée de manière éloquente sur le coffret de Limoges par les yeux de la dame vers lesquels vole le premier oiseau bleu du désir, et par les regards qui lient ces quatre personnages en deux couples. Le fait de savoir si de tels coffrets étaient des objets sexués, associés soit aux femmes soit aux hommes, est une question sur laquelle je reviendrai dans le chapitre deux, qui aborde le concept important de l'échange de cadeaux pour une gamme plus étendue d'objets médiévaux. Les scènes inscrites sur le coffret ont pour cadre un jardin rempli de boutons de fleurs, dont un seul éclôt devant l'homme agenouillé, comme s'il répondait au désir de ce dernier. Le rôle de la nature (saison et lieu), si fondamental dans l'art de l'amour, fera l'objet du chapitre trois. Toujours en rapport avec le monde de la nature, le recours à des animaux associés à la chasse, comme ici le faucon posé sur le poing de la dame, sera exploré dans différents contextes au chapitre quatre, qui étudiera également d'autres signes déployés à l'époque pour représenter la progression des relations physiques entre les amants, l'ultime objectif du troubadour étant l'union charnelle avec sa dame. Ce thème, à peine esquissé dans le coffret de Limoges – par la proximité de la clé et de la serrure – fera l'objet de plus amples discussions dans l'orgastique chapitre cinq. Ce qui se passe après que la passion s'est éteinte – détumescence et déclin de l'amour – ainsi que les trois facteurs qui, selon les théoriciens, étaient responsables de ce déclin – le mariage, la vieillesse et la mort – n'apparaissent pas sur le coffret du XIIe siècle car ils ne sont devenus que plus tardivement des thèmes à part entière dans l'art du Moyen Âge. Ces événements funestes seront le sujet du dernier chapitre, qui est volontairement court et littéralement antiorgastique.

La plupart des illustrations de ce livre représentent des objets d'art datant de l'époque gothique (du XIIIe au début du XVe siècle). Néanmoins, dans la suite de cette introduction, je voudrais étudier quelques rares objets du XIIe siècle, survivants d'une époque où le style roman avait encore cours. Je ne tenterai pas de présenter une autre théorie pour expliciter les origines de ce nouveau langage de l'amour, soumis à des influences aussi diverses que la poésie amoureuse islamique, l'hérésie cathare, la renaissance des idées antiques ovidiennes et la dévotion croissante à la Vierge Marie. Le terme même d'« amour courtois » n'était pas utilisé au Moyen Âge. Employé pour la première

fois par le médiéviste français Gaston Paris en 1883, on a beaucoup glosé quant à l'existence réelle de « l'amour courtois » en tant que phénomène social, ou expression unique d'une fiction poétique. J'éviterai donc d'employer ce terme. L'art médiéval de l'amour fut sans doute inventé par les troubadours du sud de la France qui s'exprimaient en langue d'oc. Il fut ensuite diffusé jusqu'au nord de la France et en Angleterre par les trouvères qui parlaient la langue d'oïl, puis par les *minnesänger* : ceux qui chantaient l'amour en allemand. Les historiens ont tendance à décrire cette transformation des relations entre hommes et femmes comme une idéologie qui se serait développée en réaction à des modifications, sociales et économiques, notamment le désir croissant de l'Église de régenter la galanterie et le mariage. Les médiévistes la considèrent plutôt comme une fantaisie poétique plus indépendante et comme le véritable point de départ de la subjectivité lyrique moderne. Personnellement, je ne vois aucun inconvénient à considérer ce nouveau discours de l'amour comme étant à la fois réalité et fantaisie, dans la mesure où ce que les gens imaginent et transforment en images fait partie de la structure de leur vie réelle et n'est pas seulement le reflet d'un texte ou d'une quelconque idéologie exogène. C'est précisément cette irréalité de l'expérience amoureuse qui confère aux arts plastiques un rôle si important dans son invention historique.

LA HONTE D'ADAM

Au XIIe siècle, Adam et Ève sont le couple le plus fréquemment représenté, que ce soit dans les bibles ou sur les portails des églises et même les façades des résidences urbaines. Ils ne se regardent jamais avec un désir ardent, mais plutôt avec une honte pitoyable. Dans les exemples monumentaux romans (ill. 6),

6. *Tentation d'Adam et Ève.* Chapiteau en calcaire, vers 1150. Cloître de la cathédrale de Gérone.

7. Tristan et Iseult sous l'arbre. Coffret « Forrer » exécuté à Cologne, 1180-1200.
Os, 8,4 x 11,5 cm. Londres, British Museum.

Adam est généralement représenté à gauche du point de vue du spectateur et Ève à droite, mais en réalité elle est placée à gauche, sur le côté sénestre, du point de vue du diable ou de Dieu de même que, sur les grands tympans sculptés des églises du XIIᵉ siècle – par exemple ceux de la cathédrale d'Autun et de la basilique de la Madeleine à Vézelay – les damnés précipités en enfer le sont à la gauche de Dieu. En conséquence, la plupart des amants sont sans cesse contraints de reprendre cette attitude initiale de «nos premiers parents», comme on les appelait alors.

Pour saint Augustin, ce premier péché était en quelque sorte la répétition générale des trois étapes de tout péché, commis par suggestion, plaisir et consentement. Le diable (le serpent) fait d'abord la suggestion, la chair (Ève) y prend plaisir, et l'esprit (Adam) consent. Premier «esclave de l'amour», Adam s'est soumis à une femme et on le représente souvent en train de manger le fruit défendu, péchant par la bouche, ce qui indique son appétit sexuel. Ève s'était d'abord abandonnée aux désirs de ses yeux en voyant que l'arbre défendu était «bon à manger et séduisant à voir» ; on la figure d'ailleurs souvent en train de prendre le fruit dans sa main. Il est significatif de noter qu'Adam et Ève dissimulent leurs organes génitaux qui, dans le cas d'Adam, ne sont d'ailleurs plus maîtrisés. Cette désobéissance leur vaudra d'être chassés du jardin d'Éden pour vivre dans un monde cruel où l'espèce humaine ne peut se perpétuer que par le cycle implacable que constitue l'acte sexuel lubrique, l'accouchement douloureux et la terrible mort, un cycle où l'amour n'a aucune place.

À la différence d'Adam et Ève, qui sont soumis au regard de Dieu qui voit tout, les amants courtois se fient au secret, au fait de ne pas être vus. Le petit côté d'un coffret en os, de dimensions réduites, sculpté à Cologne vers 1200, figure un autre couple, debout sous un arbre : de nouveau, l'homme est figuré à gauche de notre point de vue et la femme à droite, derrière le mur d'un jardin (ill. 7). Il ne s'agit pas de l'Éden et ce ne sont pas nos premiers parents mais Tristan et Iseult, dont l'histoire tragique est racontée sur les cinq faces de ce petit objet. Il existait, dès le XIIe siècle, plusieurs versions littéraires des aventures du jeune chevalier et de son amour pour Iseult, l'épouse de son oncle Marc, notamment celle du poète Thomas qui vivait à la cour des Plantagenêts. Cependant, aucune des versions écrites ne correspond exactement aux thèmes développés sur ce coffret, ce qui suggère que des versions orales de cette histoire étaient tout aussi susceptibles d'être utilisées pour le façonnage d'objets courtois que les sources manuscrites. Alors que le couple du jardin d'Éden est nu et honteux, les deux figures sont ici vêtues et dignes. Alors qu'Adam porte une barbe, symbole de la virilité dans la culture moyenâgeuse, le jeune Tristan a le visage glabre, comme la plupart des amants dans l'art médiéval. Ici, ce n'est pas la femme qui, de sa main tendue, esquisse un geste de plaisir et de possession, mais Tristan, plein de désir. Sur l'autre extrémité du coffret, le roi Marc et sa reine apparaissent également dans un cadre de jardin, mais leurs mains jointes symbolisent l'union du couple marié. En revanche, les amants adultères ne se touchent pas, cette séparation accentue la *dolor* mêlée de *joi* qui est

la marque de leur amour contrarié. Dans l'art médiéval, tous les couples reproduisent la perte d'innocence du premier couple et défient en même temps la malédiction héréditaire de l'acte sexuel et de la mort par la simple violence de leur désir sournois.

Dans la « Tapisserie de la reine Mathilde » (ou tapisserie de Bayeux), la narration épique de la conquête de l'Angleterre en 1066 par Guillaume, duc de Normandie, est interrompue par une scène énigmatique portant l'inscription « Où un clerc et Aelfgyva… », comme si l'on avait voulu taquiner le spectateur en l'obligeant à compléter lui-même une histoire scabreuse dont les détails ont été perdus pour la postérité (ill. 8). Le fait de relever le menton de la dame n'est pas ici un geste d'intime affection, mais plutôt la manifestation d'un outrage. La scène brodée sur le registre inférieur montre un homme nu en pleine érection qui brandit son bras de la même façon que le clerc, associant ainsi clairement sexualité masculine et violence. La femme est représentée et désignée comme le bien qui a été illégalement « pris » par le clerc anonyme. Son nom (à elle) est d'ailleurs inscrit au-dessus de sa « maison », ce qui suggère la vigoureuse contestation de son clan contre cette spoliation de la propriété masculine que constituait le viol à cette époque. L'homme, pour sa part, n'est qu'un paradigme – un clerc qui a violé ses vœux. À peine un siècle plus tard, les clercs allaient se retrouver au premier plan en élaborant des idées poétiques sur l'amour et au centre des débats poétiques entre deux dames relatifs aux mérites respectifs des chevaliers et des clercs en tant qu'amants. Ce sont presque toujours les clercs qui ont leur préférence, car ils sont décrits comme étant raffinés dans leurs manières, riches et généreux dans leurs cadeaux, comparés aux militaires rudes et bestiaux. L'idée qu'un chevalier pouvait apprendre d'un clerc les bonnes manières et

8. «Où un clerc et Aelfgyva…» «Tapisserie de la reine Mathilde», vers 1080.
Broderie de laine sur lin, 0,53 x 68,80 m.
Bayeux, musée de la Tapisserie.

9. « Où une dame avec un chien et un homme avec
un faucon... » Aumônière brodée, 1170-1190.
Fils de soie sur lin, 10 x 13 cm. Chelles, musée municipal
Alfred-Bonno (Seine-et-Marne).

l'art d'aimer était d'ailleurs largement répandue.
Toutefois, dans la « Tapisserie de la reine Mathilde »,
exécutée avant que le concept de l'amour idéal ne se
soit développé dans les écoles des cathédrales et dans
les cours d'Europe, ce clerc enfreint des limites sociales
et sacrées. Nonobstant sa célébration du pouvoir masculin et de la trahison épique, la « tapisserie » est en
fait une broderie, vraisemblablement conçue par des
hommes mais exécutée par des femmes. Qu'elles
aient été des moniales ou des aristocrates, ces femmes
menaient une vie aussi strictement recluse
qu'Aelfgyva, la dame déshonorée qu'elles ont tissée
dans sa prison de soie.

Un siècle plus tard, une bourse, ou plutôt une
aumônière, brodée selon la même technique, figure
un couple dont les relations sont célébrées plutôt que

condamnées (ill. 9). L'homme porte un faucon au
poing, symbole à la fois de sa noblesse et de son rôle
de chasseur dans la rencontre. Toutefois la dame tient,
par une longue laisse, un chien qui bondit sur
l'homme, symbolisant l'aptitude de la dame à contrôler les passions du mâle, moins dignes, plus animales.
L'aumônière fut réalisée non seulement par, mais
aussi pour, une femme, qui se tient ici à la droite de
son compagnon, comme pour nier toute allusion à
la position sénestre d'Ève en tant que tentatrice. Alors
que le corps voilé d'Aelfgyva est enfermé dans un
cadre architectural protégé par deux têtes de dragons
menaçants, évoquant l'univers clos qui était le cadre
de vie des femmes à cette époque, la dame de l'aumônière se meut librement, montre son corps et nous
observe d'un regard perçant. Cette aumônière, attachée par ses cordons délicats à la ceinture de la dame,
est l'un des rares objets médiévaux qui parle « à la
première personne », s'identifiant au corps de celle

10. Dieu observe le couple impie « pris en flagrant délit ».
Modillon de l'abside, église de Cénac, Dordogne.

11. Les dieux observent Mars et Vénus faisant l'amour
sous le filet de Vulcain, *L'Énéide* de Heinrich von Veldeke,
Ratisbonne, vers 1215. Berlin Staatsbibliothek,
MS. germ. fol. 282, fol. 39 r°.

qui le porte, qui en tient les cordons en même temps qu'elle maîtrise les liens du désir qui attachent et domptent son noble amant. Mais ils contrôlent aussi son propre corps car l'aumônière, avec son cordon coulissant – permettant son ouverture et sa fermeture – était une métaphore courante pour désigner la vulve dans de nombreux idiomes européens.

Par rapport à la quantité d'objets liturgiques (chapes brodées, croix et chandeliers) conservés dans les trésors des églises et des cathédrales, le nombre d'objets médiévaux profanes de grande qualité ayant survécu est très faible ; cela explique en partie pourquoi nous avons tendance à regarder l'art médiéval avec des yeux d'évêques plutôt qu'avec ceux d'amants. Les coffrets et broderies profanes qui nous sont parvenus, tel l'exemple précédent, n'ont survécu que parce que l'Église s'en est ultérieurement emparée pour servir d'enveloppes précieuses à des reliques sacrées. La honte qui a souillé chaque corps depuis le péché d'Adam et Ève est tellement omniprésente dans l'art roman que nous oublions parfois qu'il existait en parallèle un domaine iconographique alter-

natif, mais désormais en grande partie perdu. Dans des contextes publics, dans les peintures et les sculptures d'églises, l'union des corps de deux personnes a toujours quelque chose de bestial, comme cette sculpture d'un modillon de l'abside de la petite église de Cénac en Dordogne (ill. 10). Ce couple, comme leurs premiers parents devant Dieu dans le jardin d'Éden, regarde en l'air de façon embarrassée, car ils ont été «pris en flagrant délit». L'entrelacement éternel de leurs genoux cagneux dans la pierre fait peut-être allusion à une légende populaire, fréquemment contée par les prédicateurs contemporains dans leurs sermons : l'histoire d'un homme et d'une femme qui avaient eu des relations sexuelles dans une église et furent en conséquence punis pour leur profanation de l'espace sacré à rester collés ensemble comme des chiens pendant une année entière. Placé à côté de la gueule mordante de l'enfer qui les attend, le couple du modillon est une autre représentation de l'humiliation publique et de la honte, un avertissement pour l'ensemble de la communauté.

L'unique manuscrit enluminé de *L'Énéide* de Virgile racontée par Heinrich von Veldeke recèle aussi l'image d'un homme et d'une femme pris *in flagrante delicto* (ill. 11). Les amants légendaires Mars et Vénus sont ici piégés dans le filet de Vulcain, l'époux bafoué de Vénus, et exposés à la vue des autres dieux. Dans le domaine des images privées, comme c'est ici le cas, ce qui se passe au lit peut être célébré comme une forme merveilleusement confuse de mutuelle absorption. Des doigts de pied qui se tortillent et des cuisses qui se heurtent décrivent les désirs fort charnels de ces divinités dont les corps sont simultanément recouverts et révélés par le filet magique de Vulcain. Il est significatif de noter que l'artiste n'a pas différencié le mâle de la femelle en termes de structure corporelle – qui est quasi identique – mais

12. Pyrame et Thisbé réunis dans la mort. Fragment d'un tympan sculpté de l'église de Saint-Géry-au-Mont-des-Bœufs, Cambrai, vers 1180. 77 x 65 cm. Musée de Cambrai.

seulement en termes de position. Les autres dieux observent la scène d'en haut, mais le texte qui lui fait face, rédigé en moyen-haut allemand, nous apprend que leur regard tient davantage du voyeurisme que de la censure : « Entendant la plainte de Vulcain, ils [les dieux] pensaient qu'ils avaient tort d'être couchés si près l'un de l'autre. Mais certains dieux présents auraient été volontiers piégés aux côtés de la dame Vénus dans de telles circontances. » Bien que l'art de l'amour soit né au Moyen Âge en transgression de l'enseignement

13. Couple enlacé sur le manche et au revers d'un miroir, Souabe, vers 1150. Bronze doré, H. : 8,8 cm. Francfort, Museum für Kunsthandwerk.

de l'Église, l'art religieux était lui-même influencé par les formes profanes, même si elles sont présentées comme des archétypes de ce qu'il faut éviter de faire. Le fait que l'acte sexuel soit synonyme de mort est merveilleusement illustré sur l'un des rares tympans d'église du XIIᵉ siècle qui figure un mythe classique de l'amour en tant qu'archétype du péché : il raconte l'histoire de Pyrame et Thisbé qui trouvèrent la mort lorsque Thisbé, croyant à tort que son bien-aimé avait été tué par un lion, se suicida en s'empalant ; Pyrame la suivit dans la mort en s'empalant sur la même épée (ill. 12). Des détails frappants, telle la façon tendre dont le jeune homme caresse les cheveux de sa bien-aimée de sa grande main maladroite,

font de ce couple réuni, aux corps quasiment indifférenciés, une œuvre émouvante et insolite. Leur empalement sanglant est figuré sous les feuilles d'un mûrier, leur propre Arbre de Vie qui, selon l'histoire, se teignit du rouge sombre de leur sang et qui, comme la plupart des sculptures contemporaines, fut probablement à l'origine peint de vives couleurs. Dans la version d'Ovide, à laquelle cette sculpture semble redevable, l'histoire d'amour de Pyrame et Thisbé était très triste : leur amour, d'abord doux, était devenu amer, comme le fruit des arbres dans le jardin de l'amour. Le fait que les amants ne se font pas face pourrait être interprété comme une désapprobation de leur amour en tant que perversion, puisque cette sculpture ornait une église. Un visage les observe du haut du feuillage, évoquant à la fois le regard de Dieu qui voit tout mais également le secret qui est tellement important dans le frisson de l'amour. C'est bien entendu le vœu de tous les amants – ne pas être vus – qui est anéanti lorsqu'ils sont transformés en images et donc en objets soumis au regard non pas de Dieu mais des hommes.

Datant du milieu du XIIᵉ siècle, le revers d'un miroir en bronze doré, d'origine allemande, montre également un personnage qui observe un couple soudé l'un à l'autre sous des couvertures (ill. 13). Mais ici ce spectateur, qui n'est ni une divinité ni un mari jaloux, exhorte les amants à atteindre des sommets encore plus élevés de plaisir charnel en accompagnant leur performance de sa propre performance musicale. L'artiste avait vraisemblablement vu des miroirs antiques de ce type, mais ici la présence du harpiste rappelle la légende de Tristan et Iseult ainsi que la croyance généralement admise que la musique était « la nourriture de l'amour ». Réveillé par la contemplation de la beauté physique (qui est captée par le côté réfléchissant du miroir), l'amant désire non seulement regarder sa bien-aimée mais également la tenir, la toucher, en jouer comme d'un instrument. Les visages amorphes du couple se rejoignent dans un baiser qui se répète sur le manche, constitué d'un couple enlacé qui s'embrasse. Comme nous le verrons au chapitre deux, les miroirs – qui sont sans doute les objets de luxe médiévaux les plus nombreux à avoir survécu – étaient des réceptacles catoptriques des secrets de l'amour et, en tant qu'emblèmes de séduction et d'enchantement, plus étroitement associés aux femmes qu'aux hommes. Précurseur des miroirs parisiens en ivoire à l'érotisme plus allusif, ce miroir en bronze assez impudique invite son utilisateur à l'étreindre et célèbre le contact de la chair avec la chair.

Bien que, dans cette introduction, j'aie opposé des images d'amants sacrées et profanes, je ne veux pas mettre la puissance de l'Église et son contrôle institutionnel et spirituel d'un côté et le monde profane des cours médiévales avec leurs cérémonials de l'autre. L'une des choses sur lesquelles je voudrais attirer l'attention dans ce livre est le fait qu'à tous les niveaux, du politique jusqu'au psychologique, le sacré et le profane étaient imbriqués, partageaient le même langage, les mêmes subjectivités, voire des codes iconographiques identiques. Ce sont les mêmes artistes qui enluminaient un jour le *Roman de la Rose* et retournaient le lendemain à leur travail habituel sur les bibles et les psautiers. Le créateur du miroir souabe exécutait vraisemblablement des bougeoirs en bronze pour des autels, qui n'auront jamais, à la différence de cet objet, été touchés par des mains féminines. De même, les publics se confondaient, et l'on a pu avancer que le nouveau langage de l'amour ne se serait jamais développé au XIIe siècle s'il n'y avait pas eu de changements radicaux dans la spiritualité, essentiellement parmi les moines cisterciens tel le réformateur Bernard de Clairvaux (1090-1153) qui, tout en critiquant sévèrement les excès et les modes courtoises, structurait en même temps sa propre relation avec Dieu en des termes proches de l'engagement intime et érotique entre un amant et sa bien-aimée.

LE DÉSIR DE L'ÉPOUSE

« Qu'il me baise des baisers de sa bouche. Tes amours sont plus délicieuses que le vin ; l'arôme de tes parfums est exquis. » … « Que tu es belle, ma bien-aimée, que tu es belle ! Tes yeux sont des colombes ! … Je suis le narcisse de Saron, le lis des vallées. » La première citation ouvre Le Cantique des cantiques, le plus « érotique » de tous les livres de la Bible, et s'adresse à l'époux ardemment désiré ; l'on entend la voix plaintive de l'épouse dont la langueur lyrique a retenti à travers la civilisation occidentale depuis plus de deux mille ans. Dans la plupart des bibles du XIIe siècle la lettre *o* du mot « baiser » (*osculetur*) illustre cette union. On retrouve le lit sur lequel le couple enlacé du miroir de Hambourg s'embrasse et consomme sa passion dans la lettrine d'un manuscrit du commentaire du Cantique des cantiques de

14. L'intimité des amants : *Sponsus* et *Sponsa* symbolisant le Christ et l'Église dans le commentaire du Cantique des cantiques par Bède le Vénérable, Saint-Albans, vers 1130. Cambridge, King's College, MS. 19, fol. 21 v°.

Bède le Vénérable, exécuté au monastère de Saint-Albans (Angleterre) au début du XIIe siècle (ill. 14). C'est l'œuvre d'un important artiste monastique qui a également enluminé, au cours de la deuxième décennie du XIIe siècle, un célèbre psautier, actuellement conservé à Hildesheim, destiné à Christine de Markyate. Cette dernière avait évité un mariage arrangé pour elle par ses parents non pas en s'enfuyant avec un jeune amant mais en se faisant emmurer dans une cellule de l'abbaye de Saint-Albans pour y mener une vie de recluse, mariée au seul Christ. Pour la noblesse, c'était aussi radicalement un acte de renonciation sociale que n'importe quelle affaire sexuelle, car il la spoliait des bénéfices lucratifs, politiques et économiques qui résultaient des fiançailles. Toutefois, l'épouse dans le manuscrit du commentaire de Bède était un modèle auquel pouvaient s'identifier non seulement des moniales comme Christine

mais aussi des moines. Puisque l'épouse est la « voix » du Cantique, elle est figurée à gauche, c'est-à-dire qu'elle occupe la position du sujet (habituellement) masculin regardant son objet féminin, comme dans les images courtoises que nous avons vues. Bède, comme la plupart des commentateurs monastiques, interpréta cet époux tant désiré comme le Christ et son épouse comme à la fois la Vierge Marie et l'Église. Le cistercien saint Bernard avait une interprétation moins institutionnelle, plus personnelle, plus mystique aussi de cette union : elle incarnait la soif que l'âme avait de Dieu. Le visage de l'époux/Christ, tout comme son auréole, chevauche celui de son épouse, ce qui suggère l'effacement de l'épouse par l'objet de son désir. Si cet effacement volontaire était le but du mystique, ce n'était pas celui de l'amant courtois, qui cherchait au contraire à se mettre en valeur et à ne jamais jouer les seconds rôles. Dieu ne pouvait être représenté sous la forme d'un objet aussi passif que la dame bien-aimée, il est donc figuré ici dans une étreinte passionnée.

Si les images du XIIe siècle illustrant des textes religieux orthodoxes comme celles-ci sont beaucoup plus animées par l'intimité physique et sensuelle que l'art profane de la même époque, c'est parce que l'image sacrée pouvait être considérée comme une *figura*, c'est-à-dire une « figure » désignant un signifiant dans un royaume supérieur, et non comme une fin en soi. En revanche, les deux amants humains peints entre les lignes d'un poème latin du manuscrit connu sous le nom des *Carmina Burana* ne se touchent pas (ill. 15). Ce célèbre recueil allemand réunissant deux cent vingt-huit poèmes, dont un grand nombre de chants d'amour, est typique de la culture érudite qui florissait dans les universités françaises du XIIe siècle ; c'est la plus importante anthologie de poésie latine médiévale qui soit parvenue

tympanum cum lyra. Do er zu der linden chom dixi se/
deamus. div minne twanch sere den man ludum faciam.
Er graif mir an den wizen lip. non absqz timore. er sprah
ich mache dich ein wip dulcas es cum ore. Er war mir
uf daz hemdelin cœpe detecta er rante mir in daz pur
gelin cuspide erecta. Er nam den chocher unde den bogen
bene venabatur. der selbe hex mich betrogen ludus cõpleat.
Suscipe flos florem quia flos designat amorem.

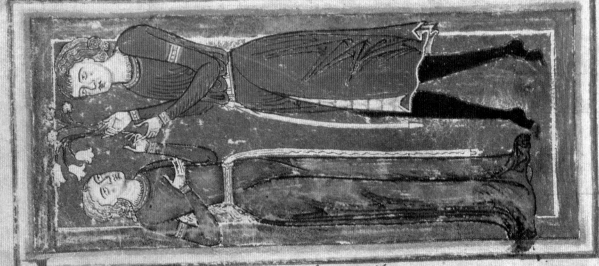

Illo de flore nimio sum captus amore.
Hunc florem flora dulcissima semper odora.
Nam velud aurora fiet tua forma decora.
Florem flora vide quem dum videas michi ride.
Flore florente tua nox cantus phylomene.
O casta dei flore rubeo flos conferui ori.
Flos in pictura non est flos immo figura.
Qui pingit florem non pingit floris odorem.

jusqu'à nous. De tels recueils étaient souvent décrits comme des *florilegia*, ou collections de fleurs. Ici, l'homme est sur le point d'offrir à sa dame, qui porte une longue ceinture, un bouquet de roses et de lis, symbolisant son cadeau d'amour, ainsi que le poème ou le chant qu'il a composé pour elle. Le scribe n'a laissé qu'un long espace rectangulaire pour insérer les deux figures dont la position, à la fois verticale et horizontale, est assez suggestive. Bien que cette image soit inscrite dans un discours latin, masculin et clérical, celui-ci est radicalement différent de celui du moine cloîtré qui craignait la souillure féminine. Le désir d'union est plus charnel que spirituel, le corps physique plus désiré que sa *figura* spirituelle. Le poème latin de neuf lignes qui commence sur la ligne précédant l'illustration débute ainsi : « Fleur, cueille ma fleur, car une fleur représente l'amour. » La voix, « sujet » du poème, est celle de l'homme qui implore son amour d'accepter son cadeau, et de réagir avec ses sens : « Sens la fleur, Flora la plus douce, toujours odorante ! » implore-t-il. « Regarde la fleur, Flora ! Lorsque tu la vois, souris-moi ! Parle avec bonté à la fleur ! Ta voix est le chant du rossignol. Donne des baisers à la fleur ! Une fleur convient à une bouche de rose rouge. » Cet amant latin oppose la *forma*, ou beauté apparente de la fleur, à un mot plus chargé de sens : *figura*. C'est ce terme visuel qui apporte dans le couplet final une note amère et mélancolique à cette chanson douce, mais qui explique également pourquoi c'est l'un des rares poèmes du manuscrit des *Carmina Burana* qui ait été illustré. Le plaisir est toujours chargé de danger et son assouvissement est en fin de compte impossible. Une image du Christ n'est pas, bien sûr, le Christ lui-même, comme le soulignaient les théologiens, mais un signe qui peut amener le spectateur pieux à une certaine compréhension de sa divinité. Ainsi le « narcisse de Saron » et le baiser de l'époux décrits dans Le Cantique des cantiques sont des signes visibles et empiriques qui peuvent transporter les dévots vers un domaine supérieur d'osmose avec le divin, par le biais des métaphores. Toutefois, dans ce poème des *Carmina Burana*, le personnage de l'amant ne semble en aucun cas pouvoir être le vecteur d'une signification sacrée. Désirant ardemment que le signe devienne substance, il admet, dans les deux dernières lignes à la fin de la page enluminée, que, comme cette image, son désir – et en fin de compte sa bien-aimée – sont illusoires :

> « Une fleur dans une image n'est pas une fleur,
> seulement une figure ;
> Celui qui peint une fleur ne peint pas la fragrance
> d'une fleur. »

C'est là que réside l'ironie la plus importante de l'art de l'amour au Moyen Âge, dans les domaines tant visuel que verbal. D'un côté, l'image – pour l'amant – semble n'être qu'une illusion vide, un objet de désir toujours insaisissable, mais de l'autre ce néant lui-même est l'indispensable support à l'élaboration de ce désir. Sans image, l'amour ne pourrait exister.

15. La distance entre les amants : le poème « Suspice, flos, florem », *Carmina Burana*, vers 1230 (?). Munich, Bayerische Staatsbibliothek, MS. Clm, fol. 72 r°.

16. La dame (Frau Minne) décoche une flèche à l'amant. Intérieur du couvercle d'un coffret de la région du Haut-Rhin, vers 1320. Chêne peint, 10,80 x 27 x 10,16 cm. New York, The Cloisters Collection, The Metropolitan Museum of Art.

CHAPITRE UN

LES REGARDS
DE L'AMOUR

L'amour est une passion naturelle qui naît de la vue de la beauté
de l'autre sexe et de la pensée obsédante de cette beauté.
André Le Chapelain

L'idée que la vue stimulait le désir amoureux était si puissante qu'André Le Chapelain a pu affirmer que les aveugles étaient incapables de le ressentir. « Le coup de foudre » est éloquemment illustré dans la miniature du frontispice d'un manuscrit parisien des œuvres de Guillaume de Machaut (1300-1377), le plus grand poète-compositeur du XIVe siècle (ill. 18). Regarder sa bien-aimée et admirer « les belles proportions, simples et modestes, sans irrégularité, de son beau corps » est la seule consolation de l'amant

17. L'amant plongé dans la contemplation du portrait de sa dame, *Le Voir Dit* de Guillaume de Machaut, Paris, vers 1370-1377. Paris, Bibliothèque nationale, MS. fr. 1584, fol. 235 v°.

de ce poème, intitulé *Le Remède de fortune.* Sur cette miniature, le poète, figuré à gauche en amant âgé, semble plongé dans une profonde contemplation de la dame qui, consciente d'être observée, le désigne de sa main, mais ne lui rend pas son regard. Elle se tient debout derrière un obstacle bien réel, une poutre horizontale qui lui barre le chemin. L'accès à sa personne n'est que visuel. C'est précisément cette inaccessibilité qui fait que le poète la désire encore davantage. Roland Barthes, en amant littéraire du XXe siècle, ne voulait pas dire autre chose quand, dans

18. L'amant aperçoit sa dame de loin,
Le Remède de fortune de Guillaume de Machaut,
Paris, vers 1350-1355. Paris, Bibliothèque nationale,
MS. fr. 1586, fol. 23.

ses *Fragments d'un discours amoureux* (1977), il écrivait : « Voici donc, enfin, la définition de l'image, de toute image : l'image, c'est ce dont je suis exclu. »

C'est également cette distance entre le spectateur et l'objet qui permet au poète mâle de toucher littéralement sa dame des yeux, puisque l'on croyait alors que la vision résultait de rayons physiques émanant du spectateur en direction de l'objet. Décrire l'objet bien-aimé de la tête aux pieds était une convention poétique utilisée par de nombreux poètes, y compris Machaut, convention qui n'était pas accessible aux artistes, qui devaient montrer le corps dans son intégralité. Toutefois, l'artiste a quelque peu réussi à suggérer le long attardement, fétichiste, du regard sur

les passages de chairs blanches, notamment le cou et le visage. Les costumes moulants qui furent mis à la mode au milieu du XIVe siècle dévoilaient davantage les épaules et laissaient deviner la taille de la dame. Encadrant littéralement la dame, le bâtiment – avec ses tourelles pittoresques et ses fenêtres délicatement sculptées – contribue à lui donner un aspect monumental. De même que nos yeux peuvent suivre les créneaux et pénétrer à l'intérieur de l'espace sombre et voûté, le corps de la femme est présenté comme une surface complexe et subtile qu'il faut contempler avec des yeux d'esthète. L'architecture associe en fait des motifs évoquant la réclusion féminine – les tours et les donjons d'un château – et l'atmosphère plus avenante d'un hôtel urbain, voire du nouveau palais du Louvre mis en chantier à cette époque par Charles V. Pour Machaut, l'amour n'est pas seulement stimulé par le regard, il fonctionne comme l'art et l'architecture : « L'amour, par son habileté, a fait que la grande beauté de ma Dame a emporté mon cœur lorsque je la vis pour la première fois. »

IL LA REGARDE

Au Moyen Âge, dans le domaine de l'optique, on ne considérait pas l'œil en tant que récepteur passif comme de nos jours, mais comme une lanterne active. La nouvelle théorie d'« intromission », adoptée par les scolastiques du XIIIe siècle sous l'influence de la science aristotélicienne et arabe, décrivait l'œil comme recevant des rayons émanant d'objets externes. Cette théorie, toutefois, ne remplaça jamais entièrement l'ancien concept platonicien, selon lequel l'œil lui-même émettait des rayons comme une balise vers son objet, et certains philosophes, comme Roger Bacon, associaient les deux concepts. À une époque où le mauvais œil était banal et où l'on exhortait les femmes enceintes à ne même pas poser les yeux sur des images de monstres difformes de peur que leur fœtus n'imite leurs formes tourmentées, le simple fait de regarder était un acte chargé de danger en même temps que de plaisir. En outre, les yeux étaient, dans la philosophie aristotélicienne, directement reliés au cœur, siège des sensations dans le corps humain. André Le Chapelain prit soin de décrire l'effet psychologique de l'amour en ces termes médico-scientifiques : « En effet, quand un homme voit qu'une femme est aimable et qu'elle convient à son goût, aussitôt il commence à la désirer dans son cœur ; ensuite, plus il pense à elle, plus il brûle d'amour pour elle, et enfin sa pensée est tout envahie par cet amour. »

Ce rapport entre le regard extérieur et la pensée intérieure est exprimé avec force dans un exceptionnel manuscrit d'un poème du XIIIᵉ siècle, le *Roman de la Poire*, où le regard de l'amant devient un personnage à part entière, Douz Regart (ill. 19). Dans la courbe d'un S doré, il est agenouillé devant la dame et lui présente le cœur de l'amant ; le gant qu'il porte à sa ceinture indique son rôle de messager. Il est intéressant de noter que le poète et l'artiste n'ont pas représenté l'amant lui-même agenouillé devant la dame, mais seulement son messager visuel. L'initiale S commence un court refrain lyrique chanté par Douz Regart, le cinquième d'une série de seize qui sont interprétés par divers personnages, notamment Beauté et Noblesse. Ces refrains ponctuent le manuscrit et, ensemble, inscrivent, en forme d'acrostiche, le nom de la dame, « Annes », celui de l'amant/poète, « Tibaut », et « Amors ». Tout au long du récit, on retrouve l'idée que l'amour n'est pas seulement une relation binaire entre deux êtres, mais aussi une relation triangulaire par l'introduction d'un troisième personnage, l'Amour lui-même.

19. Douz Regart présente à la dame le cœur du poète, *Roman de la Poire*, Paris, vers 1260-1270. Paris, Bibliothèque nationale, MS. fr. 1584, fol. 41 v°.

Le *Roman de la Poire*, l'un des plus anciens cycles gothiques illustrés exclusivement consacrés à la *fin'amors*, était appelé « psautier de l'amour » parce que sa structure, présentant un cycle iconographique liminaire en plus des grandes initiales historiées insérées dans le texte lui-même, est calquée sur celle des manuscrits de ces chants sacrés de louanges. Sa comparaison avec un psautier contemporain, exécuté pour Saint Louis, nous apporte de précieux renseignements (ill. 20). Ici, l'initiale qui ouvre le psaume I, « Heureux l'homme qui ne suit pas le conseil des impies », oppose pour la figure du roi biblique David deux types de regard rigoureusement différents, de façon à instruire le royal lecteur du bon et du mauvais usage des yeux. Dans la partie supérieure de la lettrine, David penche les yeux sur un objet indigne – le corps nu de Bethsabée, dont il est tombé amoureux lorsqu'il l'a

20. David baisse les yeux sur Bethsabée nue et les lève vers Dieu, *Psautier de Saint Louis*, Paris, vers 1250-1260. Paris, Bibliothèque nationale, MS. fr. 2186, fol. 85 v°.

vue au bain – tandis qu'en dessous il est agenouillé et lève les yeux vers l'objet digne de contemplation : Dieu. Alors que David sur la page du *Psautier* semble avoir une vision directe de Dieu, pourtant isolé dans une mandorle céleste suggérant un mode de vision mystique, désincarnée, l'amant du *Roman de la Poire* n'accède à sa dame que par personne interposée, grâce à la personnification du plus important de ses sens : la vue.

Cette distance, ce fossé visuels entre l'amant et sa bien-aimée est une composante essentielle de l'ivresse de l'amour qui ennoblit. Dans un précieux manuscrit enluminé de chansons de troubadours, les illustrations des marges inférieures sont reliées aux paroles correspondantes du texte par de petits signes, tels les quatre points à côté de la première figure à gauche, qui est en pleurs et qui est donc reliée au mot «yeux» dans le texte (ill. 21). Ce poème du troubadour Fouquet de Marseille déplore la souffrance que lui causent ses yeux, qui non seulement voient mais pleurent. À sa droite se trouve l'Amour, personnifié sous les traits d'un séraphin couronné et doté de six ailes et trois visages. Ensuite, nous voyons l'amant qui tente d'enlacer la dame qui lui résiste. Au centre, l'Amour réapparaît, battant des ailes, mais le poète fuit l'Amour pour se diriger vers la dame qui à son tour le fuit. Ceci illustre la situation paradoxale décrite dans le poème : «Je fuis ce qui me poursuit et poursuis ce qui me fuit». Le bleu foncé de la robe de la dame et des ailes de l'Amour séraphique suggère que l'amant fuit et poursuit la même chose. Ce manuscrit constitue l'une des tentatives les plus élaborées d'analyse de l'amour tant par l'image que par les mots et tente d'exprimer la complexité psychologique de la situation de l'amant : à la fois plaisir et souffrance, attraction et répulsion.

Toutefois, la séparation physique de l'amant et de sa dame n'entraîne pas la séparation de son image. Un autre poème de Guillaume de Machaut, *Le Voir Dit*, ou «histoire vraie», a été décrit comme un récit autobiographique des amours du poète vieillissant avec une femme de chair, beaucoup plus jeune que lui. Il mène toute son intrigue amoureuse par le truchement d'une image de Toute Belle, sa bien-aimée âgée de quinze ans. Elle lui envoie son portrait en trois dimensions, qu'il adore comme une idole de la déesse Vénus. Puis l'image semble se modifier sous ses yeux, sa robe vire au vert, couleur de l'inconstance lorsqu'il soupçonne sa jeune amie de lui être infidèle. Lorsque Toute Belle cesse soudain d'écrire, le poète désespéré enferme son image dans un coffre, mais il est alors tourmenté par des rêves où la statue l'appelle de sa prison pour dire qu'elle n'a rien fait de mal. Ragaillardi par une nouvelle lettre d'amour, il ordonne alors à un domestique d'ouvrir le coffre et de lui apporter son *ymage*, qu'il découvre non plus verte mais souriant avec douceur. Une délicate miniature en grisaille ornant un manuscrit exécuté du vivant de Machaut représente cet instant (voir ill. 17) ; l'image est une peinture plutôt qu'une statuette, représentant une jeune femme en pied. Le poète est figuré en train d'en toucher le cadre, comme pour accentuer le statut d'image inaccessible de ce tableau, simple simulacre de l'objet désiré. Cette scène est la parfaite expression de la manière dont les images intervenaient dans l'élaboration du désir : non contentes d'offrir un reflet, elles permettaient au processus de l'amour de se poursuivre. Nous savons par ailleurs que les mécènes royaux de Machaut avaient pour leurs mariages – en fait des alliances politiques – recours à des images avant de procéder au choix définitif de l'élue. C'est ainsi que, selon les chroniqueurs,

en 1385 le roi Charles VI, alors âgé de treize ans, eut à choisir entre trois portraits peints de princesses : « Il en vit trois et il choisit la plus belle », optant pour Isabeau de Bavière.

Exécuté à Paris à la fin du XIVe siècle, un livre de modèles comportant une série de dessins exécutés sur des feuillets de buis figure notamment ce que je crois être la première rencontre « face à face » de ce couple, à Amiens le 14 juillet 1385 (ill. 22). Sur la gauche, un garçon boudeur, représenté de profil et l'air un peu emprunté, regarde fixement devant lui et semble ne pas voir la belle jeune fille portant une guirlande qui lui fait face, les yeux modestement baissés. Leurs traits, bien individualisés, sont proches de ceux des portraits sculptés officiels du couple royal que l'on peut encore voir à Poitiers et sur leur tombeau à Saint-Denis. Cependant, nous sommes ici fort éloignés du portrait d'État. C'était pour les deux jeunes gens qui allaient personnellement s'engager un moment d'une grande intensité, mais aussi un

21. L'objet fugace du regard de l'amant, *Chansonnier*, Padoue, vers 1280. New York, Pierpont Morgan Library, MS. 819, fol. 56 r°.

22. Première rencontre entre Charles VI et Isabeau de Bavière, et un mystérieux couple d'hommes. Livre de modèles, exécuté à Paris, vers 1390. Pointe d'argent sur feuillets de buis préparés au gypse, 13 x 17 cm. New York, Pierpont Morgan Library, MS. M. 346, fol. 2 v°.

moment qui fut observé par de nombreux témoins oculaires. Selon le chroniqueur Froissart, Isabeau s'inclina devant son nouveau seigneur qui lui-même se pencha vers elle de façon à rapprocher leurs visages. «Avec ce regard, écrivit Froissart, plaisir et amour lui entrèrent au cœur, car il la vit belle et jeune et il avait grand désir de la voir et de l'avoir.» Cet instant n'a bien sûr pas été «croqué sur le vif» : il s'agit vraisemblablement d'une vision imaginée par un peintre de la Cour, peut-être Jacquemart de Hesdin, quelques années après les événements. Cependant, sur la partie droite de ce même feuillet, l'étreinte de deux hommes excite encore davantage notre curiosité. Le plus jeune porte, comme la reine, une guirlande et glisse sa main à l'intérieur du capuchon de l'autre. On sait que des scandales éclaboussaient la cour parisienne à cette époque, notamment Louis Ier, duc d'Orléans, frère de Charles VI, dont les chroniqueurs racontent qu'il avait autant d'attrait pour les femmes que pour les hommes et qui est supposé avoir eu une aventure avec la reine Isabeau avant son assassinat en 1407. Ce livre de modèles ne contient pas une série de caractères types, mais des filles qui tordent le nez à des hommes sauvages et autres badinages équivoques. Si ce feuillet figure, comme je le suggère, les «amours» de Charles VI et de son frère dépravé, il est probable que son auteur ne souhaitait pas le divulguer, mais le conserva scellé dans un coffret de dessins précieux que des artistes comme Jacquemart gardaient jalousement comme leur propre bien. D'ailleurs, en 1398 ce même artiste fut accusé d'avoir volé de tels modèles à d'autres artistes.

De même que notre industrie contemporaine de la mode propose à un public principalement féminin la vision d'images érotisées de la femme, il n'est pas exclu de penser que bon nombre des images reproduites dans ce livre «objectivant» le corps de la femme en tant qu'objet du désir aient pu être appréciées des femmes comme des hommes. La dame courtoise, qui pouvait plus facilement regarder d'autres femmes et des images d'autres femmes que des images du sexe opposé, s'est laissé prendre au jeu et a accepté de se donner en spectacle, phénomène qui obsède notre propre société de consommation. Un plateau de naissance italien à douze côtés, connu sous le nom de *desco da parto* (ill. 23), permet de visualiser ce phénomène. À première vue, cette image semble inverser la logique masculine du regard et conférer les pleins pouvoirs à l'objet féminin. De célèbres amants mythiques et antiques, notamment Achille, Tristan, Lancelot, Samson, Pâris et Troilus, identifiés par des inscriptions sur leurs vêtements, sont figurés agenouillés dans un jardin luxuriant, regardant la déesse nue, Vénus, qui flotte au-dessus d'eux dans une mandorle analogue à celle où figure parfois la Vierge Marie. Cette Vénus aux ailes sombres a subjugué par le pouvoir de ses organes génitaux les guerriers terrestres de l'amour figés dans la prairie verdoyante, dont les fruits portent également la marque de son influence sur la nature. Les rayons dorés ne se dirigent pas des yeux du sujet mâle vers l'objet femelle mais, selon la convention picturale qui veut que les rayons des corps célestes, tel le Soleil, tombent sur la Terre pour l'éclairer, émanent du vagin de Vénus et viennent frapper les visages des amants agenouillés en dessous. Le poète contemporain italien Boccace avait écrit : « Vénus exhorte tout ce qui, dans la nature, est paresseux à poursuivre et se multiplier. Donc le plaisir charnel de l'homme

23. *Vénus vénérée par six amants légendaires.* Plateau de naissance exécuté à Florence, vers 1400. Tempera sur bois, diam. : 51 cm. Paris, musée du Louvre.

peut être admis. » Toutefois, cet apparent pouvoir de l'objet du désir s'avère illusoire dès lors que nous saisissons la finalité de cette image. Ce plateau de naissance servait lors des rituels qui suivent l'accouchement. Pour l'époux qui fit sans doute exécuter cet objet pour remercier son épouse de lui avoir donné une descendance (de préférence mâle), l'image de la Vénus céleste et vénérienne ennoblissait à la fois ses propres appétits sexuels et célébrait la capacité génitrice de son épouse.

Il est toutefois probable que, allongée pendant ses couches, la première destinataire de ce plateau se soit peut-être moins positivement identifiée à cette Vénus, qui semble comme épinglée et finalement vulnérable dans son triomphe.

Nous ne devons pas avoir peur d'interpréter l'iconographie « à contre-courant » lorsqu'un contexte particulier le justifie, comme c'est le cas ici. Ce qui ressemble à une représentation sans ambiguïté du pouvoir des femmes sur les hommes s'avère en réalité exprimer exactement le contraire lorsque nous le considérons du point de vue de son utilisateur. L'idée qu'une image puisse exprimer une position spécifique du sujet n'était pas très développée dans la narration religieuse médiévale, plus traditionnelle, qui avait pour principe de représenter les événements en tant que réalité historique sans aucun point de vue individuel, sauf peut-être celui de Dieu. Au contraire, quand il s'agit d'objets relevant de l'art profane, le sens du regard est évident. En outre, il ne faut pas oublier que les images et les choses expriment non seulement un point de vue particulier mais qu'elles étaient censées être vues et utilisées par un type précis d'individus. Ainsi, la question que nous devons sans cesse poser à ces images furtives de coups d'œil et de regards est la suivante : qui éprouve le désir qui est représenté ? La réponse, à quelques rares et fascinantes exceptions près, est qu'il s'agit le plus souvent d'un homme : poète, chevalier, clerc ou artiste. Les spécialistes de la littérature et de l'histoire médiévales ont compris depuis longtemps le discrédit dont étaient victimes la femme et le narcissisme mâle inhérents à l'art de l'amour au Moyen Âge. En revanche, les historiens d'art se sont montrés moins perspicaces pour reconnaître, dans les manifestations plus matérielles du désir qu'ils sont amenés à étudier, les failles et les distorsions dans ce que beaucoup considèrent encore comme un reflet idéalisé de la vie médiévale. Les gestes élégants et les symboles subtils qui

24. Lavinie tombe amoureuse d'Énée du haut de sa tour, *L'Énéide* de Heinrich von Veldeke, Ratisbonne, vers 1215. Berlin, Staatsbibliothek, MS. germ. fol 282, fol. 66 r°.

structurent ces représentations de couples courtois servent non pas à exprimer l'harmonie entre un homme et une femme mais plutôt à souligner le rapport de force qui les sépare à jamais, opposant au sein de l'image le masculin et le féminin comme des positions irréconciliables et des pôles de différence.

ELLE LE REGARDE

On connaît dans l'art médiéval quelques exemples de «coup de foudre» ressenti par un sujet féminin. Une image de la version de *L'Énéide* transcrite en moyen-haut allemand par Heinrich von Veldeke (ill. 24) l'illustre parfaitement. Ici un artiste talentueux, faisant appel au seul répertoire plutôt restreint qu'il avait acquis dans l'illustration des vies de saints, s'efforça – peut-être pour la première fois – de représenter cette intériorité psychologique de l'amour. Le texte faisant face à cette miniature d'une demi-page raconte : «Lavinie était en haut de la tour. Elle regardait à la fenêtre et vit Énée, qui passait en dessous. Elle le regarda fixement plus que toute autre chose. Là où elle se tenait dans sa chambre, l'Amour la frappa de son dard. Maintenant elle était tombée dans le piège de l'amour ; qu'elle le veuille ou non, elle devait aimer.» Les pages suivantes la montrent pelotonnée, au supplice, et «elle commença à transpirer, puis à frissonner, puis à trembler. Souvent elle se pâmait et frémissait. Elle sanglotait et tressaillait. Son cœur lui manquait ; elle palpitait, et haletait et bâillait». Dès le premier regard, Lavinie est muette. Le phylactère, utilisé dans ce manuscrit pour exprimer les émotions extrêmes, n'apparaît pas ici. Le fait que ses sentiments sont complètement intériorisés est également suggéré par la position de sa tête dans la fenêtre cintrée de la tour. Bien qu'elle soit censée regarder Énée depuis une haute tour, il est intéressant de noter que

25. Des dames regardent une joute de chevaliers, et le siège du château de l'Amour. Couvercle d'un coffret
exécuté à Paris, vers 1320. Ivoire, 26,2 x 17 cm. Londres, British Museum.

l'artiste a figuré la tête de ce dernier au-dessus de la
sienne, et qu'il lui retourne un regard tout aussi éloquent. Il ne se contente pas d'être regardé, il doit
regarder en retour et, à la différence de Lavinie, muette,
son long doigt pointé suggère ses paroles. Auparavant,
l'artiste avait, dans le même manuscrit, représenté
et expliqué le suicide de Didon par son amour excessif et non courtois pour ce même homme. En
revanche, la qualité noble et élevée de l'amour de
Lavinie est ici soulignée.

Le *Mesnagier de Paris*, écrit vers 1394 par un mari
parisien pour l'instruction de son épouse âgée de
quinze ans, déclarait : « En cheminent, maintenez la
tête droite, les paupières franchement baissées et
immobiles et le regard droit devant vous à une distance de 4 toises, fixant le sol, évitez de regarder autour
de vous ou d'arrêter vos yeux sur un homme ou une
femme à droite ou à gauche, de lever la tête ou de laisser votre regard errer sans but, ne vous arrêtez pas

pour parler dans la rue. » Les théories féministes
récentes ont souligné, à juste titre, la prédominance
d'une société où les femmes sont toujours susceptibles d'être les objets du regard masculin. Toutefois,
les femmes pouvaient également regarder pour leur
propre plaisir ; il est clair que, dans certaines œuvres
littéraires et dans quelques recueils illustrés, nous
sommes en présence d'un regard féminin posé sur
le mâle et d'une érotisation du corps masculin.
Cependant, contrairement au corps féminin, toujours
présenté nu (comme Vénus sur le plateau de naissance), offert au regard, le corps masculin n'est que
surface, une carapace (ou coquille dure) entourée et
protégée par l'armure et l'héraldique qui annonce sa
force et son impénétrabilité. Alors que Lavinie aperçoit Énée depuis une ouverture de la tour – un type
de bâtiment qui, nous le verrons, est souvent utilisé
pour représenter la vulnérabilité du corps féminin –
celui-ci est, pour sa part, représenté comme un

chevalier en selle entrant dans la ville, l'image même d'une ardeur militaire invulnérable.

Le couvercle d'un coffret en ivoire (ill. 25) montre deux dames, situées au centre en tant que spectatrices privilégiées d'une joute de chevaliers qui se déroule en dessous. De nombreux ecclésiastiques critiquaient les tournois non seulement en tant que jeux futiles susceptibles de détourner les guerriers de la lutte contre les infidèles mais également parce qu'ils efféminaient les hommes en en faisant des objets emblématiques du désir féminin. Dans le siège du château de l'Amour représenté sur les deux extrémités du couvercle, il semble en effet que les ardeurs guerrières des chevaliers en armure se soient quelque peu émoussées. L'un des jouteurs porte un heaume en forme d'oiseau, l'écu de l'autre est blasonné de trois roses, des symboles érotiques qui focalisent le regard des spectateurs. Les tournois servaient, à l'instar de celui-ci, qui n'est que fictif, à structurer l'identité sociale masculine. Bien que, dans quelques images marginales parodiques, des dames entrent elles-mêmes en lice pour jouter avec leurs amants, le rôle dévolu qui convenait à la dame au sein de ce rituel chevaleresque était celui de symbole inspirateur : le chevalier portait ses couleurs et se battait pour gagner son amour. Dans le *Tristan* de Gottfried de Strasbourg (vers 1210), on voit les femmes de la cour du roi Marc se divertir, dans la même attitude distante mais admirative que les spectatrices de l'ivoire, des joutes de Rivalen. Alors que, comme nous l'avons vu, le regard masculin a tendance à s'attarder sur la forme statique du corps féminin, la pénétrer, voire la déshabiller, le regard de ces dames est plus social et collectif dans son admiration du corps masculin en action :

« Regarde ! Le jeune est un homme heureux : tout ce qu'il fait lui réussit à merveille ! Comme son corps est parfait ! Comme ses jambes, dignes de celles d'un empereur, se déplacent harmonieusement ! Comme son écu reste fermement en place à tout instant ! Que la lance sied bien à sa main ! Comme tous ses vêtements lui vont bien ! Regarde son port de tête et ses cheveux ! Que tous ses mouvements sont gracieux ! Qu'il est excellent ! Heureuse sera la femme à qui il donnera une joie durable ! »

Tout comme ici les mots, les formes plastiques de l'ivoire figurent les corps masculins en combat en termes de symétrie et de motifs géométriques créés par l'interaction du chevalier et de son armure. Alors que c'est toujours la chair qui annonce la femme comme objet du regard, c'est cette carapace impénétrable de la chevalerie qui figure l'objet masculin.

L'une des fonctions de l'image du chevalier dans la société médiévale était de délimiter la position, le rôle et l'apparence des hommes, par rapport aux femmes. Mais parfois le chevalier ne se contentait pas d'arborer un colifichet de la garde-robe de sa dame – sa jarretière ou son voile – en tant que gage, il le portait tel un travesti. Cette appropriation des excès féminins servait à anticiper et réfuter toute critique quant à l'efféminement du chevalier. Un exemple éloquent montre un grand chevalier allemand qui non seulement porte les couleurs de sa dame, mais se métamorphose en elle (ill. 26). Il s'agit d'Ulrich von Liechtenstein, dont le heaume se termine par une crête en forme de Vénus couronnée : une référence au récit principal du *Frauendienst* dans lequel le poète, déguisé en Vénus, émerge de la mer à Venise pour entreprendre une expédition chevaleresque. Ce qui, de prime abord, semble être l'un des plus conventionnels des cent trente-sept portraits en pleine page des poètes de l'amour du codex Manesse, qui sont

26. Ulrich von Liechtenstein avec son heaume figurant la déesse Vénus, codex Manesse, Zurich, vers 1300. Heidelberg, Universitätsbibliothek, Cod. pal. Germ. 848, fol. 237 r°.

hiérarchiquement classés selon leur condition sociale supposée, est en fait une interpénétration beaucoup plus badine des symboles masculins et féminins qu'il n'y paraît. La Vénus figurée sur le heaume tient ses attributs, la flèche de l'amour et la torche de la passion. Dans un spectacle guerrier, c'était le mâle resplendissant, paré de symboles de cette sorte, qui apparaissait à l'assistance en tant qu'objet du désir. D'autre part, des cadeaux d'amour pouvaient être offerts par des hommes à des hommes : par exemple, en 1350, après une bataille à Calais, le roi Édouard III offrit une couronne de perles à Eustache de Ribemont, un chevalier français fait prisonnier par les Anglais, car il avait été le meilleur guerrier du champ de bataille, et le supplia de la porter «par amour de moi». L'armure, qui servait à protéger le chevalier, était non seulement un objet sophistiqué, mais aussi le symbole du corps masculin lui-même.

27. La vision mystique de la plaie du Christ par la *Sponsa, Cantiques Rothschild*, Flandre occidentale, vers 1320.
New Haven, Yale University Beinecke Library, MS. 404, fols. 18 v°-19 r°.

Le seul corps masculin dans l'art médiéval qui soit offert vraiment nu au regard du désir masculin et féminin est celui du Christ. Dans un manuscrit exécuté pour une religieuse qui s'identifiait à l'épouse ou *Sponsa* du Christ dans Le Cantique des cantiques, une page d'ouverture montre avec quelle violence cette autre forme de désir amoureux pouvait être visualisée (ill. 27). Ici, l'épouse se prépare à planter une lance, tel le centurion Longin lors de la crucifixion, dans le flanc de son bien-aimé sur la page opposée ; ce dernier la regarde par-dessus son épaule et montre la plaie béante de son flanc. Elle porte sa main gauche à son œil, comme pour souligner l'érotisme visuel de cette pénétration. Ces deux pages dérivent

du Cantique des cantiques (4, verset 9) : «Tu me fais perdre le sens, ma sœur, ma fiancée», une expression violente de l'autre signification de la passion : amour extatique mais aussi souffrance où le Christ joue le rôle de l'époux bien-aimé. Son corps aux proportions élégamment allongées pend entre le pilier de la flagellation et la croix, à laquelle il est cloué par une main et un pied semble-t-il... ; il est figuré, d'une façon insolite et audacieuse, totalement nu, coquettement tourné afin de masquer ses parties génitales tout en révélant de longues cuisses pleines. Dieu ne pouvait devenir la cible d'un regard érotisé qu'en devenant un corps féminin. La femme propriétaire de ce petit ouvrage, vraisemblablement une nonne cloîtrée dans un couvent flamand ou allemand au début du XIVᵉ siècle, était capable de structurer une vision personnelle de son union mystique avec le Christ, capable aussi de structurer son propre désir en des termes inaccessibles à son homologue courtoise. Le doigt du Christ indique sa propre plaie, dans une sorte d'exhibitionnisme implacable, faisant de cette scène non pas un circuit du désir partagé mais, comme toutes les images mystiques, une image qui renverse radicalement les schémas habituels. Focalisé sur la lance phallique de la femme-mâle, le regard est toujours attiré dans une seule direction, celle du Christ féminin. De même que la féminisation du Christ l'autorise à devenir un objet de désir (pour la dévotion des hommes comme pour celle des femmes) c'est ici le rôle masculin de la femme en tant que porteur du phallus qui rend possible sa vision.

QUI LES REGARDE ?

Les plus anciennes représentations de l'Amour en tant que puissance surnaturelle, sorte de force abstraite existant indépendamment des amants eux-mêmes, posent déjà le problème de son sexe. Dans l'art du Moyen Âge, le dieu de l'Amour n'est pas aveugle ; au contraire, prêt à décocher sa prochaine flèche dans la première image en pleine page du *Roman de la Poire* (ill. 28), il nous regarde avec insistance, nous, les lecteurs du manuscrit, et semble être investi de toute la puissance apotropaïque d'une icône du Christ. Comme Erwin Panofsky l'a établi dans un célèbre essai, le Cupidon aveugle de la mythologie classique – avec toutes les connotations d'ignorance et d'obscurité qui lui sont associées – fut remplacé au Moyen Âge par une divinité qui, à l'instar de Dieu, voit tout. Depuis sa position centrale, généralement dans un arbre, tel le serpent dans l'Arbre de Vie, déguisé en courtisan, il observe les amants en parfait voyeur. Depuis longtemps, Ovide avait inventé la métaphore de la flèche de Cupidon qui, avec sa piqûre de plaisir et de douleur, déclenche la souffrance des amants, mais c'est Guillaume de Lorris, un poète du XIIIᵉ siècle, qui, de façon plus audacieuse, compara le dieu de l'Amour à « un ange venu tout droit du ciel ». C'était dans la première partie du *Roman de la Rose* où nous lisons que « Le dieu d'Amour [...] prit aussitôt une flèche et l'encocha, puis bandant son arc jusqu'à l'oreille il me visa à l'œil et me planta la sagette raide à travers le cœur. » Ces deux organes, les yeux et le cœur, interviennent également dans cette miniature du *Roman de la Poire*, où l'on voit le dieu de l'Amour décocher des flèches dans les

28. Le dieu de l'Amour décoche des flèches aux deux amants, *Roman de la Poire*, Paris, vers 1260-1270. Paris, Bibliothèque nationale, MS. fr. 2186, fol. 1 vᵒ.

cœurs des deux amants, qui se regardent comme s'ils découvraient soudainement leur mutuelle beauté. Peintes au XIIIe siècle, à une époque où les différences vestimentaires entre hommes et femmes n'étaient pas réellement marquées, dans la mesure où les hommes comme les femmes portaient les mêmes amples et longues robes, les deux figures ne peuvent guère être identifiées que par leur place, l'homme du côté d'Adam, la femme de celui d'Ève, et par la coiffe de cette dernière (les cheveux longs et libres étant toujours un attribut des femmes de mauvaise vie). Pour le reste, leurs corps et leurs gestes de surprise créent une mystérieuse symétrie et une similitude d'aspect qui indiquent leur attirance mutuelle («qui se ressemble s'assemble»). De nos jours, ces figures stéréotypées et plutôt statiques peuvent paraître maladroites, car nous associons l'amour à la spontanéité du sentiment et de l'expression. Toutefois, pour le public médiéval, les conventions et les stéréotypes engendraient un plaisir intense précisément parce que ces formes étaient connues d'avance et que les spectateurs pouvaient s'identifier à elles, s'y glisser comme dans une robe bien-aimée.

Sur une boîte à miroir (ou valve) en ivoire, on voit le dard décoché par le dieu de l'Amour transpercer l'œil de la dame recevant la déclaration de son amant agenouillé (ill. 29), avant de ressortir par l'arrière de la tête de ce dernier, qui regarde dans la même direc-

29. Le dieu de l'Amour décoche sa flèche dans l'œil d'une femme. Boîtier de miroir, Paris, vers 1320. Ivoire, H. : 9 cm. Paris, musée national du Moyen Âge - Thermes de Cluny.

tion qu'elle. Dans cet exemple, de nouveau, la différenciation homme/femme ne se fait pas au niveau de leur corps, ni de leur costume, qui sont presque identiques, mais au niveau de leurs actions. Cette dame est figurée en train de donner, de façon insolite, une petite tape sous le menton de son soupirant agenouillé, tout en se retournant et en se détournant de lui. C'est comme s'il lui fallait d'abord regarder l'Amour pour tomber amoureuse de son partenaire.

Les deux flèches figurées dans le *Roman de la Poire* représentent la simultanéité du coup de foudre, tandis que cette image suggère la séquence – et la violence – de la réunion de deux têtes sur un même trait. Il est très rare que la flèche aboutisse ailleurs que dans les yeux ou le cœur. Pourtant, dans une version italienne du roman de *Lancelot*, l'illustrateur facétieux montre le jeune Lancelot frappé par la flèche de l'amour non pas à l'œil, mais au niveau du sexe (ill. 30). Lancelot est inhabituellement figuré de dos, ce qui en fait, comme nous, le spectateur de Guenièvre qui passe à cheval. Cette attitude révèle également le galbe de ses fesses et ses jambes élégantes, conséquence de la mode de la seconde moitié du XIVe siècle qui, pour la première fois, commença à érotiser le corps masculin. Dans la culture médiévale, la représentation du corps masculin était aussi strictement codifiée que celle du corps féminin. Toutefois, au fur et à mesure que le costume masculin se fit plus ajusté, la veste rembourrée, ou pourpoint, accentua la largeur des épaules et la finesse de la taille, tout en découvrant les fesses et les jambes qui auparavant étaient dissimulées sous de longues robes. Il faut toutefois remarquer que, si la femme présente encore une position frontale, ce mâle objet du désir est ici figuré de dos. La figure de l'Amour lui-même, dont le regard vise aussi sa cible – le sexe de Lancelot – exprime à son tour l'embarras du désir masculin. Dans des manuscrits enluminés du *Roman de la Rose* datant du milieu du XIVe siècle, comme dans cette miniature italienne, l'Amour est un sublime jeune courtisan aux cheveux bouclés. Le dieu du désir est devenu lui-même un objet du désir.

Au nord de l'Europe, le pouvoir de l'amour ne s'incarnait pas dans une divinité masculine reflétant le désir du sujet, mais prenait la forme de l'objet : « Frau Minne ». Les poètes et enlumineurs allemands personnifient souvent l'Amour comme une figure féminine nue, d'une part parce que les substantifs *Liebe* et *Minne* sont féminins, d'autre part parce que l'influence d'Ovide était moins forte dans le Nord. Il en résulte une certaine ambiguïté, et il est parfois difficile de savoir si la femme qui décoche la flèche est une personnification de l'Amour ou une image de la bien-aimée elle-même. L'intérieur peint du couvercle d'un petit coffret allemand en chêne conservé au Cloisters Museum à New York (voir ill. 16), à peine plus grand qu'une boîte à chaussures – apparenté par son style et sa datation au célèbre manuscrit dit codex Manesse – montre une dame qui, avec la flèche de l'amour, vise le cœur de son amant dont les poignets croisés indiquent sa reddition et sa soumission. Armer la femme de l'arc et de la flèche semble de prime abord conférer les pleins pouvoirs au regard féminin posé sur un objet masculin. Cependant, du moins dans la poésie, l'accent n'est pas mis sur le regard de la dame,

30. Bonifacio Bembo.
Le dieu de l'Amour décoche sa flèche dans les parties génitales de Lancelot, *Historia di Lancilloto*, Milan, 1446.
Dessin à la plume et à l'encre sur parchemin. Florence, Biblioteca nazionale, Cod. pal. 556, fol. 58 v°.

mais sur le fait que le mâle est «captivé» par la beauté de sa bien-aimée, faisant de lui une victime blessée, un esclave de l'amour, dans une tradition connue sous le nom de *Minnesklaven*. Ainsi transformé en victime souffrante, le mâle acquiert du pouvoir en tant que sujet, c'est en tout cas ce que semblent clairement indiquer les inscriptions que l'on peut lire sur ce coffret ; celle de gauche déclare : « *Genad frou ich hed mich ergeben* » («Gracieuse dame, je me suis rendu»).

Ce type de coffret était, dans le processus de la cour amoureuse, un cadeau, un réceptacle dans lequel le fiancé envoyait à sa future épouse des bijoux lors de la phase où les deux jeunes gens ne s'étaient pas encore vus mais après que le mariage eut été arrangé par leurs parents. Ainsi, l'objet devait symboliser, pour ces deux jeunes gens dont la décision d'union avait déjà été prise pour eux par leurs parents, le «coup de foudre» et la flèche perçante du désir. Le fait que de tels objets aient été commandés et offerts par le prétendant est suggéré non seulement par des documents contemporains mais aussi par la forme

31. « Regarde ceci, alors tu te souviendras ». Coffret orné d'amants autour de la serrure
et de deux couples d'amants sur le couvercle. France, XIVᵉ siècle. Cuir, 12,5 x 26 x 18,5 cm.
Paris, musée national du Moyen Âge - Thermes de Cluny.

même de ce coffret, qui fut conçu pour être vu ouvert de façon à faire apparaître simultanément le prétendant au revers du couvercle et son cadeau (argent et bijoux) à l'intérieur. Les arcatures gothiques qui encadrent les figures rappellent l'architecture ecclésiastique et annoncent leur prochaine union, de même que l'annoncent les armoiries d'une noble famille rhénane qui occupent un tiers du couvercle. Encore une fois, ce qui ressemble à un objet très personnel et intime s'avère être une déclaration publique concernant un engagement tant financier qu'érotique.

Le terme *Minnekästchen* ou «coffrets d'amour» fut inventé au XIXᵉ siècle pour décrire ces objets qui, à leur époque, étaient connus sous le nom de *coffrets* ou *Kistlin*. Généralement faits de bois, soit sculpté soit revêtu de métal ou de cuir estampé, leur ornementation découle de leur rôle dans le jeu de la conquête amoureuse. L'angoisse de la découverte devait étreindre les jeunes gens lorsque, pour la première fois, ils allaient apercevoir le partenaire choisi pour eux par leurs familles. Un coffret en cuir analogue porte à l'extérieur les mots flamands « *Aen sien doe doet ghedenkren* », «Regarde ceci, alors tu te souviendras»(ill. 31), et montre sur le devant deux amants qui se regardent furtivement de part et d'autre d'un grand fermoir à charnières et à serrure ; la femme offre à l'homme sa ceinture, qu'elle fait glisser sous la serrure, tandis que son cadeau à lui est le coffret lui-même. La femme est, comme on pouvait s'y attendre, figurée du côté de l'entrée de serrure, ce qui indique sa condition fermée et virginale, le mariage étant, littéralement, la clé pour ouvrir le coffret et pénétrer le corps. Néanmoins, lors de l'échange mutuel de regards et de cadeaux qui est figuré ici, il fallait d'abord observer la bien-aimée et examiner la marchandise.

32. Le roi Marc observe Tristan et Iseult
depuis l'arbre. Pied de coupe, émail, exécuté à Avignon, vers 1320.
Milan, Museo Poldi Pezzoli.

33. Giovanni di Paolo. Dante, le soleil de l'amour brûlant sur sa poitrine, rencontre des silhouettes aussi vagues que celles reflétées dans des miroirs, *La Divine Comédie* (*Le Paradis*, chant III) de Dante Alighieri, Sienne, vers 1445. Londres, British Library, Yates Thompson, MS. 36, fol. 133 r°.

Le voyeurisme est un thème majeur non seulement de la littérature courtoise médiévale mais aussi des images associées à l'amour. Dans *Tristan et Iseult*, le célèbre roman chevaleresque médiéval, l'une des scènes les plus fréquemment représentées est celle où le roi Marc, mari d'Iseult, épie le couple qui s'est retrouvé sous un arbre dans lequel il est lui-même caché, mais les amants, ayant aperçu son reflet dans une pièce d'eau peuvent simuler une rencontre innocente. Connu sous le nom du « Rendez-vous sous l'arbre », ce thème est devenu un sujet en soi, représenté sur des miséricordes et des sculptures d'églises comme sur des boîtiers de miroir, des coffrets, des peignes et même une chaussure en cuir découverte lors de fouilles aux Pays-Bas. Parmi les cinquante-sept exemples médiévaux inventoriés, un beau pied de coupe en émail exécuté à Avignon (ill. 32) présente, dans l'un de ses compartiments évasés, le reflet, dans une pièce d'eau circulaire, du roi Marc qu'Iseult, assise

à droite, désigne de sa main. C'est un sujet idéal pour une coupe à boire, puisqu'il rappelle la vertu d'une sage modération dans le plaisir ; et, lorsque nous levons la coupe pour l'admirer ou pour y boire, notre propre image se reflète dans le métal brillant comme un miroir, suggérant que nous sommes, nous aussi, en train d'épier le rendez-vous étincelant des amants. Le reflet du spectateur, comme celui du roi Marc, témoigne de notre présence dans l'image, à l'instar de notre reflet dans les yeux de l'être aimé. Il y a toujours un tiers qui regarde. Les amants ne sont jamais vraiment seuls, que ce soit dans le chant, la poésie ou les images, car ils sont toujours le fruit de l'imagination d'autrui.

Ce reflet dans l'eau nous amène à l'un des mythes les plus importants, mais aussi les plus mal compris de l'art de l'amour et du regard au Moyen Âge : celui de Narcisse. Écrite au début du XIVᵉ siècle, *La Divine Comédie* de Dante Alighieri, sans doute l'étude la plus subtile et la plus sophistiquée du pouvoir de l'amour en tant que regard, peut être considérée comme une vision allégorique de l'amour, notamment *Le Paradis*, qui fut inspiré au poète par l'adoration qu'il portait à Béatrice et la vision éternelle de Dieu qui attend les élus. Dans l'illustration du chant III du *Paradis* peinte par l'artiste siennois Giovanni di Paolo, nous voyons le poète, le soleil de l'amour brûlant sur sa poitrine, s'élever dans l'atmosphère à la poursuite de sa bien-aimée (ill. 33). Dante voit ce qui lui semble être des visages vagues et indistincts, semblables à ceux qui sont réfléchis par les miroirs ou l'eau. Pourtant Béatrice lui dit qu'il ne s'agit pas d'illusions, mais de la réalité. Se fiant davantage à sa perception physique qu'à sa vision spirituelle, Dante accepta trop rapidement l'évidence de ses sens. Le talentueux artiste oppose cette vision vraie que Dante a des deux clarisses, Piccarda di Donati et la future impératrice Costanza, rayonnant dans le croissant blanc de la lune, aux deux exemples de fausses visions sur terre : la première montre une figure masculine se contemplant dans un miroir (dans l'art médiéval, la plupart des personnages qui se regardent dans des miroirs sont des femmes) et la seconde, Narcisse à la fontaine, qui est explicitement désigné par Dante comme l'exemple de quelqu'un qui a confondu illusion et réalité. Ainsi, la puissance supérieure d'une expérience visionnaire est volontairement opposée à la vision ordinaire, qui n'est qu'un simple reflet.

Ce mythe nous conduit au cœur même de la suspicion viscérale des hommes du Moyen Âge à l'égard de la figuration. Dans le *Roman de la Rose*, Narcisse avait refusé l'amour de la nymphe Écho qui en mourut de chagrin, «mais avant qu'elle expirât, elle pria Dieu que Narcisse au cœur farouche, qui s'était montré si froid envers elle, fût pressé et échauffé d'un amour dont il ne pût espérer de joie». Un jour, sur le chemin de retour de la chasse, le jeune homme se pencha pour boire à l'eau d'une fontaine, «et il vit s'y refléter son visage et sa bouche ; il s'ébahit aussitôt, car, trompé par son ombre, il crut y voir l'image d'un enfant beau à démesure». Tombé amoureux de son propre reflet, il demeura là, envoûté par ce reflet liquide, et mourut. La morale qu'en tire Guillaume de Lorris est tout à fait différente de celle de Dante. Elle devient un avertissement aux femmes de ne pas laisser languir leurs amants et mourir comme ce jeune homme ! «Ainsi eut-il son salaire de la meschine qu'il avait éconduite. Retenez cet exemple, dames qui manquez à vos amis, car si vous les laissez mourir, Dieu saura bien vous le faire payer.» Le mâle Narcisse regardant fixement l'eau qui ne répondra jamais à son désir devient ainsi, du point de vue de Guillaume, un exemple non pas du désir masculin mais de la froideur insensible de la bien-aimée.

Le péché de Narcisse n'était pas, comme c'est le cas dans notre conception moderne et freudienne du narcissisme, de tomber amoureux de lui-même, mais de tomber amoureux d'une image. C'est un mythe relatif au pouvoir de fascination de l'art qui, au XVe siècle, tendait de plus en plus à véhiculer des illusions. Même un support aussi matériel que la tapisserie réussit à suggérer, simplement par sa trame et sa chaîne, les reflets aquatiques de Narcisse dans la fontaine (ill. 34). On comprend qu'ainsi associé à la création d'objets d'art exquis, le mythe ait eu un tel impact sur la poésie médiévale amoureuse : il symbolisait la façon dont le reflet d'une image dans l'eau pouvait prendre vie. Outre le jeune homme avec ses beaux atours, ses fanfreluches et son plumage, la tapisserie recèle une autre créature obsédée par sa propre image, le faisan, qui partage la tombe miroitante du jeune homme en observant son propre reflet dans l'eau. Dans le livre de chasse intitulé

34. *Le Regard de Narcisse*. Tapisserie exécutée en France
ou aux Pays-Bas du Sud, vers 1500. Boston, Museum of Fine Arts.

Le Livre du roy Modus et de la royne Racio (1379), le faisan est décrit comme un oiseau que l'on peut piéger à l'aide d'un miroir, non pas parce qu'il croit qu'il s'agit de lui mais parce qu'il pense à tort qu'il s'agit d'un rival potentiel susceptible de capter les faveurs de sa femelle, ce qui le rend « jaloux de son propre reflet ». D'autres animaux représentés sur le fond de la tapisserie font également référence à la vanité. Certains historiens d'art ont considéré que le circuit fermé du désir de Narcisse correspondait à une pulsion homosexuelle comparable au clonage, c'est-à-dire au besoin masculin de produire un être à son image, tandis que d'autres penchent pour une féminisation de la figure, qui représenterait la femme en tant que surface par opposition à l'homme en tant que substance. Pourtant le paradoxe de l'image de Narcisse réside dans le fait que ce jeune homme n'a aucune identité, qu'il se perd dans la tombe liquide de l'obsession de l'image. Par ailleurs, l'humaniste et théoricien de l'art Leon Battista Alberti, dans son ouvrage de 1436, *Della Pittura*, décrivit Narcisse comme « l'inventeur de la peinture, selon les poètes [...]. Qu'est-ce que la peinture sinon l'acte d'embrasser par les moyens de l'art la surface de l'eau ».

On remarque qu'aucune boîte à miroir en ivoire du Moyen Âge étant parvenue jusqu'à nous ne représente le mythe de Narcisse. Ce n'est pas étonnant, lorsque l'on connaît l'appréhension médiévale à l'égard du regard. Le seul miroir qui soit représenté

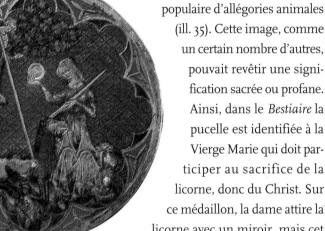

35. *Une vierge piège la licorne*. Médaillon, Paris, vers 1320-1330. Émail et argent, diam. : 7,03-7,00 cm. Munich, Bayerisches Nationalmuseum.

sur des valves est celui d'une dame qui apparaît dans un autre mythe important dont le sujet est la capture par l'image : celui de la licorne piégée par une pucelle qui sert d'appât aux chasseurs. Un médaillon en émail du XIVe siècle, peut-être une boîte à miroir, montre un chasseur qui vient de transpercer d'un coup de lance la bête qui a été subjuguée au point d'adopter l'attitude du chien de compagnie d'une jeune et belle vierge. La scène reproduit fidèlement l'histoire qui est racontée et illustrée dans le *Bestiaire*, un recueil populaire d'allégories animales (ill. 35). Cette image, comme un certain nombre d'autres, pouvait revêtir une signification sacrée ou profane. Ainsi, dans le *Bestiaire* la pucelle est identifiée à la Vierge Marie qui doit participer au sacrifice de la licorne, donc du Christ. Sur ce médaillon, la dame attire la licorne avec un miroir, mais cet accessoire au lieu d'être un objet de vanité, sert à capturer le reflet de l'animal. Pourtant, la licorne n'est pas l'une des créatures, tels le singe ou la panthère, que le *Bestiaire* décrit comme étant fascinées par leur propre reflet. Le miroir, donc, a peut-être été associé ici à l'iconographie de la jeune fille, de façon à relier le péché de luxure au miroir de Dame Oiseuse dans le *Roman de la Rose*. Cependant les miroirs, comme tous les objets dans l'art médiéval, n'ont jamais de signification unique mais peuvent signifier une multitude de choses, en fonction du contexte. Ainsi, le miroir peut aussi être un symbole

de la fidélité en amour. Dans le *Roman de la Dame à la Licorne*, datant du milieu du XIVᵉ siècle, le poète compare sa bien-aimée à un « miroir limpide qui brille, immaculé » dans lequel il pourrait se voir mais aussi voir l'amour de sa dame. L'apparition du miroir sur cette valve peut aussi s'expliquer de façon plus banale : l'artiste a peut-être mal copié un livre de modèles ou un ivoire qui montrait la dame attrapant la licorne en tenant une couronne (voir ill. 40), qu'il aurait interprété à tort comme un miroir circulaire. Toutefois, même s'il ne s'agissait pas d'autre chose que d'une erreur de la part d'un artiste, le miroir intervenant dans la capture de la licorne allait réapparaître par la suite : ce sera notre dernier exemple du regard de l'amour.

La tapisserie représentant le sens de la vue (ill. 36) est l'exemple le plus puissant et le plus évocateur de la vanité de l'autocontemplation et vraisemblablement l'image la plus célèbre reproduite dans ce livre. Exécutée pour Jean Le Viste, président de la Chambre des requêtes entre 1484 et 1500, elle fait partie d'une tenture composée de six grandes tapisseries représentant *La Vue, Le Goût, L'Ouïe, Le Toucher, L'Odorat* et un autre sujet, et tissée pour les murs de l'une de ses splendides résidences. Les armes parlantes de Le Viste étaient le lion (sa famille était originaire de Lyon) et la licorne, célèbre pour sa rapidité (*vitesse* étant un jeu de mot sur le nom de Le Viste). Le mécène est donc représenté ici comme dans toute la tenture, en tant que sujet qui regarde et en tant que licorne symbolisant la vitesse, l'action et le désir. De nombreuses et merveilleuses histoires ont été imaginées autour des origines de ces tapisseries : on les a consi-

dérées comme des cadeaux de mariage destinés à une future épouse, porteurs de messages secrets chiffrés dans leurs lacs d'amour et leurs devises, et l'on a cherché à identifier la mystérieuse femme qui y est représentée. En fait, cette femme n'a pas d'identité. Adoptant la position symbolique traditionnelle de la bien-aimée, elle porte la robe allégorique des Cinq Sens. Ce n'est pas une femme, mais cinq femmes différentes, chacune exprimant une facette de la vanité de Le Viste. Il n'y a pas de meilleur symbole pour exprimer l'autorité et l'inquiétude du désir masculin que la licorne, un animal qui n'a jamais existé. Comme beaucoup des images décrites dans ce chapitre, ce qui apparaît d'abord comme un regard réciproque s'avère être le regard de l'autoérotisme. La licorne n'est voyeuse que d'elle seule, de même que la plupart des images médiévales de l'art de l'amour qui – nous aimerions le croire – idéalisent des relations entre hommes et femmes ne sont en fait que des points de vue unilatéraux, exprimant la seule identité masculine. L'ovale triste et vide du visage de la dame semble ici refléter – peut-être avec une résignation morose, peut-être avec une tristesse désenchantée de la part de l'artiste – une certaine conscience de son rôle accessoire, du fait qu'elle n'est que le vecteur du désir, son objet et non son sujet. Car à l'instant même où elle a joué le rôle qui lui était assigné et que sa pureté et sa virginité ont rempli leur mission de capture de l'animal phallique fabuleux, la licorne (Le Viste) ne la regarde plus dans les yeux, elle ne regarde fixement, exactement comme le propriétaire de cette tapisserie a dû le faire, que son propre reflet vaniteux.

36. *La Vue.* Une des six tapisseries de la tenture de *La Dame à la licorne*, tissée en France ou au Pays-Bas du Sud, vers 1500. Paris, musée national du Moyen Âge - Thermes de Cluny.

CHAPITRE DEUX

LES CADEAUX
DE L'AMOUR

Voici ce qu'une amante peut accepter volontiers de celui qu'elle aime : un mouchoir (pour s'essuyer le visage), des rubans à cheveux, une couronne d'or ou d'argent, une agrafe pectorale, un miroir, une ceinture, une bourse, un cordon de vêtement, un peigne, des manches, des gants, un anneau, un coffret, des parfums, des bassins pour la toilette, de petits vases, des plateaux, une oriflamme qui évoque son amant ; d'une manière générale, tous les petits cadeaux qui peuvent servir à parer le corps ou à agrémenter la beauté, ou qui peuvent lui rappeler le souvenir de l'amant ; voilà donc tout ce qu'une amante peut recevoir de son bien-aimé, si du moins l'acceptation du cadeau semble dépourvue de tout soupçon de cupidité.

André Le Chapelain

Dans le célèbre codex Manesse, l'un des cent trente-sept portraits des poètes d'amour ou *Minnesänger* figure un sujet qui cherche à gagner l'amour d'une dame non par ses actes chevaleresques, mais par l'étalage ostentatoire d'objets. Déguisé en marchand ambulant, Dietmar von Aist arrive, accompagné d'un mulet lourdement chargé, devant le château de sa dame pour proposer ses marchandises (ill. 38). Naturellement, le déguisement de Dietmar implique l'étalage d'un échan-

tillonnage d'objets gothiques associés au corps féminin et dont on peut aujourd'hui voir des exemples dans tous les musées. Ce chapitre sera consacré à ces objets de luxe : miroirs, ceintures, bourses et aumônières. Le marchand courtois tend à la dame une broche ou un fermail, en allemand *asp*, faisant ainsi un jeu de mots sur son propre nom (« Aist »), tandis que, le doigt pointé vers son mulet, il tient les rênes de l'autre main, une autre allusion badine à sa personne (*Diet mar* signifie « le mulet du peuple »). La dame, tenant son petit chien d'une main, caresse l'extrémité dorée de l'une des ceintures de l'autre. Représentant le corps et les membres, ces objets étaient plus que des fétiches

37. Divertissement avec un capuchon. Aumônière brodée à Paris vers 1340. Fils d'or et d'argent, au point couché sur lin, 16 x 14 cm. Hambourg, Museum für Kunst und Gewerbe.

38. Dietmar von Aist déguisé en marchand ambulant courtise sa dame avec ses marchandises, codex Manesse, Zurich, vers 1300. Heidelberg, Universitätsbibliothek, Cod. pal. Germ. 848, fol. 64 r°.

au sens moderne du terme : ils étaient les messagers du désir, d'un point de vue tant social que sexuel.

Il existe une différence majeure entre un échange de cadeaux et un échange de marchandises : en effet, un cadeau consacre un lien ou un sentiment entre deux personnes, tandis que la vente d'une marchandise n'est qu'une transaction formelle. En se présentant sous l'aspect d'un colporteur, Dietmar va donc à l'encontre du concept courtois du cadeau, donné librement et par amour, jouant ironiquement un rôle qu'aucun amant n'aurait accepté d'assumer : les amants médiévaux n'étaient pas supposés être des marchands, mais des nobles ! Au Moyen Âge, deux conventions picturales fondamentales permettaient de montrer qu'une personne était propriétaire de biens. La première, aux connotations négatives, figure un personnage qui cèle des objets dans un coffre, soustrayant ainsi ses biens personnels à la vue d'autrui ; c'est d'ailleurs de cette façon que le vice de l'Avarice était représenté sur les sculptures des cathédrales de Chartres et d'Amiens. Au contraire, la seconde permet de visualiser des articles destinés à être montrés dans un contexte public plutôt que privé : ils sont alors présentés suspendus à un barreau, comme ici. Chacun des objets présentés par Dietmar – ceinture, aumônière et miroir – revêt une puissante signification symbolique et sociale. L'on aurait d'ailleurs tort de les associer uniquement aux femmes, car les hommes pouvaient tout aussi bien recevoir et porter des ceintures de cuir et des parures de bijoux, des broches, des anneaux, des cols et des chapels ou couronnes.

Décrivant les marchés de la rive droite de la Seine à Paris, Jean de Jandun, un écrivain du début du XIVᵉ siècle, écrivait qu'étaient exposés : « Tous les objets qui servent à parer les différentes parties du corps humain : pour la tête, des couronnes, des chapels, des bonnets ; des peignes d'ivoire pour les cheveux, des miroirs pour se regarder, des ceintures pour les reins, des bourses pour suspendre au côté, des gants pour les mains, des colliers pour la poitrine et autres choses de ce genre que je ne puis citer, plutôt à cause de la pénurie des mots latins que faute de les avoir bien vues. » Ici, les images vont au-delà de ce que peuvent exprimer les mots et le vocabulaire latin s'avère impuissant pour décrire ce nouveau monde fantasmagorique des objets. Cependant, et nous avons tendance à l'oublier de nos jours, c'est sur le caractère exclusif, en termes de statut social, de ces cadeaux qu'il faut insister. Promulguée en 1283, une ordonnance royale française accordant des privilèges à la noblesse stipulait déjà qu'aucun bourgeois ne pourrait être autorisé à porter de l'or ou des pierres précieuses, des ceintures d'or ou serties de perles, ni des couronnes d'or ou d'argent. Édictées dans toute

l'Europe dès la fin du XIVᵉ siècle, lorsque l'accroissement des richesses engendra une plus grande mobilité sociale et une offre de marchandises plus importante, ces lois somptuaires tendaient à fixer les règles du jeu de façon à éviter que le corps des femmes de condition inférieure ne devienne un objet de fascination par le port d'atours trop luxueux ; en même temps elles conféraient à la noblesse le droit exclusif d'acquérir et de porter certains bijoux, étoffes et fourrures hautement symboliques. Tous ces objets étaient également propres à l'un ou l'autre sexe. L'ouvrage *Yconomica*, écrit par le chanoine allemand Konrad von Megenburg (1309-1374), indique que les femmes étaient plus habilitées que les hommes à porter des bijoux et des vêtements coûteux non seulement parce qu'elles pouvaient conserver plus longtemps qu'un homme de somptueux atours, dans la mesure où elles travaillaient moins, mais « aussi parce qu'il convient mieux qu'une femme enchaîne un homme à elle par sa parure que l'inverse, car plus l'oiseau vole librement, plus l'art de la capture est délicat ».

La culture médiévale était une culture de don, semblable sous certains aspects à celles qui ont été étudiées par des anthropologues modernes tel Marcel Mauss. Aucun échange n'était exempt de sous-entendus de réciprocité et de contrat. Les dons étaient faits et rendus par obligation. Des échanges formels unissaient les communautés, mais liaient aussi les individus de sorte que, tant dans le mariage que dans ses préliminaires, le cadeau représentait une étape fondamentale de la cour amoureuse. Comme l'écrivit le troubadour Giraut de Bornelh (vers 1162-1199) : « Si la belle, pour qui je suis un don, est prête à m'honorer », c'est le plus souvent l'homme qui est figuré en train d'offrir un cadeau à une femme. Mais l'aspect sexué du cadeau lui-même est, comme nous le verrons, plus difficile à saisir. Les objets du désir que

Dietmar propose à sa bien-aimée sont des appâts mais aussi, dans une certaine mesure, des évocations du corps féminin. Les femmes étaient mises en circulation comme une marchandise et vendues au plus offrant, comme si elles n'étaient qu'un article parmi ceux qui sont présentés sur ce barreau. Les beaux objets de fantaisie dont il est question dans ce chapitre furent en partie conçus pour voiler ou occulter les réalités crues du marché du mariage au Moyen Âge.

LE MIROIR ET LE PEIGNE

À l'époque gothique, les miroirs étaient réalisés en divers matériaux, par exemple du bronze (voir ill. 13) ou de l'émail (voir ill. 35), mais la plupart des exemples qui nous sont parvenus sont en ivoire d'éléphant, une matière première importée, onéreuse et exotique. Dans notre illustration figurant Dietmar, le miroir est peint couleur argent, mais la majorité des miroirs médiévaux ont perdu leur intérieur réfléchissant, ne conservant que leurs boîtiers (ou valves). Parmi ceux-ci, un miroir d'une grande rareté qui s'ouvrait et se fermait autrefois comme un poudrier moderne a conservé ses deux valves, décorées de huit couples d'amants (ill. 39). S'agit-il, comme l'a suggéré Raymond Koechlin, le grand spécialiste des ivoires gothiques, de huit phases différentes d'un seul récit ? Ou bien vaut-il mieux les interpréter comme une multiplicité de « positions » que l'on pouvait prendre devant son miroir ? Les objets courtois, comme la vie courtoise elle-même, engendraient des gestes et des expressions d'émotions extrêmement raffinés et structurés selon certains principes esthétiques. Ces huit scènes sont un florilège de la chorégraphie de la cour amoureuse autour de l'un de ces objets hautement symboliques : la couronne, ou « chapel ». Les chapeliers formaient une importante corporation à Paris au XIVe siècle. Les amants royaux ou aristocratiques faisaient parfois exécuter ces couronnes en or ou en perles, dont seuls quelques fragments ont survécu, mais des matériaux plus éphémères, des fleurs et des feuillages naturels, évoquant le printemps, suffisaient

39. Cercles et circuits du désir. Paire de boîtiers de miroir, Paris, vers 1320.
Ivoire, H. : 11 cm. Paris, musée du Louvre.

40. Une vierge piège la licorne. Extrémité d'un coffret en ivoire,
Paris, vers 1320. Londres, British Museum.

pour la plupart des amants. Le couple représenté sur cette paire d'ivoires semble éprouver, en jouant avec cette couronne, la même excitation fébrile qu'un couple moderne devant un préservatif. Ce n'est d'ailleurs guère étonnant car la couronne avait, du moins symboliquement, des vertus prophylactiques. Sur l'un des boîtiers, la dame tend la couronne à son soupirant agenouillé qui est en train de cueillir des fleurs pour l'en décorer, tandis que sur l'autre elle la ramène derrière son dos puis la tient au-dessus de la tête de son amant. Dans trois des quatre scènes de la valve antérieure du miroir elle occupe la position supérieure gauche ; elle ne lui offre la couronne que lorsqu'elle s'assied enfin, en bas à droite sur le revers du miroir. Un sonnet de Dante da Maiano, un poète ita-

lien de la fin du XIIIe siècle, écrit sous forme de devinette, révèle la signification sexuelle de la couronne : « Une belle dame, dont mon cœur prend plaisir à gagner la faveur, m'a fait le cadeau d'une verte guirlande feuillue ; et de façon charmante elle le fit ; alors j'ai cru me trouver vêtu d'une chemise qu'elle avait portée ; puis je me suis enhardi jusqu'à l'étreindre... je ne dirai pas ce qui a suivi – elle m'a fait jurer de ne pas en parler. » Symbolisant le désir perpétuel de l'amour, la forme circulaire de la couronne est également un simulacre du miroir. Sur l'extrémité d'un coffret en ivoire exécuté à Paris à la même époque, la vierge qui piège la licorne tient au-dessus de la tête de l'animal un objet qui pourrait être soit un miroir soit une couronne (ill. 40).

41. Trois couples courtois. Face d'un peigne,
Paris, vers 1320. Ivoire, 11,6 x 14,5 cm.
Londres, Victoria and Albert Museum.

La couronne était également associée aux cheveux et à la coiffure, ce qui en fait un ornement particulièrement approprié pour les peignes en ivoire. Des feuilles aux contours dentelés semblables à celles des arbres figurant sur les valves du miroir du Louvre séparent les amants sur les deux faces sculptées d'un beau peigne en ivoire conservé au Victoria and Albert Museum à Londres, ce qui suggère qu'ils auraient pu autrefois faire partie d'une parure. L'une des faces du peigne, qui a miraculeusement conservé toutes ses dents, présente, au centre, une scène d'offrande de couronne très proche. Comme sur le miroir, ces couples semblent interpréter les infinies possibilités de préludes à l'acte amoureux plutôt qu'un récit suivi (ill. 41). Sur l'autre face, deux couples attirent notre attention : au centre, la dame offre cette même couronne feuillue à son amant agenouillé ; puis deux amoureux tiennent cette guirlande circulaire à la manière d'un anneau (ill. 42). On retrouve cette « saisie de la couronne » dans des illustrations de textes juridiques contemporains, notamment dans la der-

nière *causa* du *Décret* de Gratien (ill. 43) où un jeune homme présente, dans une composition très similaire, une couronne à une jeune fille avant de lui proposer de le suivre. Le texte raconte comment « un jeune homme, par l'offrande de cadeaux, attira une certaine jeune fille sans la connaissance de son père et l'invita à dîner. Après le repas, le jeune homme violenta cette vierge. Lorsque ceci fut découvert, les parents de la jeune fille la donnèrent au jeune homme. Dotée par le jeune homme, elle lui fut publiquement mariée. » Au lieu d'insister sur l'aboutissement juridique de l'histoire et le mariage, l'artiste a mis en relief les avances inconvenantes du jeune homme à l'aide d'une guirlande. À la différence des associations sacrées qui leur sont parfois liées, comme dans les guirlandes de sainte Cécile, celles que nous voyons sur les ivoires et les miniatures sont le plus souvent, comme ici, des symboles circulaires de la sexualité.

Un boîtier de miroir plus tardif provenant d'Italie figure l'offrande d'un peigne, cadeau d'amour à une dame (ill. 44). Puisque le style de la coiffure (des che-

42. Trois couples courtois. Revers d'un peigne,
Paris, vers 1320. Ivoire, 11,6 x 14,5 cm.
Londres, Victoria and Albert Museum.

43. L'attrait de la couronne, *Décret* de Gratien,
Causa XXXVI, Paris, vers 1300. Paris,
Bibliothèque nationale, MS. lat. 3898, fol. 361 r°.

veux plus ou moins attachés, le port éventuel d'une coiffe ou d'un bonnet) permettait de différencier une femme mariée d'une jeune fille, ce type de cadeau était peut-être symbolique : inciter la bien-aimée à s'embellir, mais aussi à se contrôler. En 1316, la comptabilité de la cour de France fait apparaître l'achat à Jean le Scelleur, pour la famille royale, de quatre articles : « un miroir, un peigne, un gravoir et un étui en cuir ». Il est évident que de tels objets, désormais séparés dans des vitrines de musées, étaient autrefois logés dans des étuis en cuir comme celui du musée allemand du Cuir et de la Chaussure à Offenbach qui est orné d'une représentation estampée d'amants tenant un cœur, et de monstres à l'extérieur. Outre le miroir circulaire et le peigne, ces étuis présentaient aussi une fente pour le « gravoir », une longue épingle à cheveux ou séparateur de mèches, également en ivoire. La plupart des exemples qui sont parvenus jusqu'à nous représentent les différentes attitudes d'un couple rempli de désir, mais

l'un d'eux a son sommet sculpté d'un couple qui se sépare, un couple divisé pour séparer les mèches de cheveux (ill. 45). Bien qu'il existe des images marginales de jeunes hommes en train de se peigner, pour en critiquer la vanité – et que le coiffage érotique des cheveux d'un homme par son amie figure sur le couvercle d'un coffret en cuir peint et doré (voir ill. 55) – ces objets étaient très nettement sexués. Ceci est particulièrement vrai pour les miroirs qui, depuis l'Antiquité, avaient été associés aux espaces secrets de la toilette féminine. Un peigne en buis au décor complexe conservé au Museum of Fine Arts de Boston porte l'inscription « Prenez plaisir ». Le fait qu'il présente également deux compartiments à cosmétiques, aux couvercles coulissants, indique que sa propriétaire tirait plaisir de sa propre apparence. C'est cette association avec la beauté physique qui a été oubliée dans les discussions relatives à ces objets, notamment les ivoires, qui doivent être replacés dans le

44. *Le Cadeau d'un peigne.* Boîtier de miroir,
Italie du Nord, vers 1390. Ivoire, 9,8 x 9,5 cm.
Baltimore, Walters Art Gallery.

45. *La Séparation des amants*. Sommet d'un gravoir
ou séparateur de cheveux, Paris, vers 1330.
Ivoire, H. : 7 cm. Turin, Museo d'Arte Antica.

contexte des produits de beauté. L'ivoire est un matériau qui est à la fois l'incarnation froide et cristalline de l'éloignement et de la blancheur transcendante (les dents des dames y sont souvent comparées) et une matière veloutée, ondulante et douce, suggérant la chair : probablement, après la cire, le support artistique qui ressemble le plus à celle-ci. On encourageait les femmes à se farder le visage avec du « blaunchet » ou fleur de farine et elles utilisaient de dangereux cosmétiques à base de plomb afin de sacrifier à l'idéal du blanc-ivoire. Dans un poème du moine de Montaudon (vers 1180-1215), les statues des églises se plaignent à Dieu de ce qu'il ne reste plus assez de peinture pour les orner à cause de toutes « les dames qui utilisent du rouge et de la crème ». Hormis ces points de rouge, la bien-aimée est toujours figurée blanche comme un linge. Cette pâleur peut s'expliquer de différentes manières : d'une part parce que, soigneusement confinée derrière ses portes closes, la dame ne devait jamais voir le soleil, d'autre part parce que l'on considérait les femmes comme des êtres au tempérament physiologiquement froid, mais surtout parce qu'il s'agissait d'une convention artistique de la beauté féminine idéale remontant à l'Antiquité.

Dans la première partie du *Roman de la Rose*, le poème d'amour le plus lu et le plus célèbre du Moyen Âge, parfois appelé « le miroir des amants », le rêveur, représenté ici dans un manuscrit parisien (ill. 46), est invité dans le Verger de l'Amour par une belle jeune fille tenant un peigne et un miroir. Le passage mérite d'être cité dans son intégralité, car il est fondamental pour comprendre les idéaux de la beauté féminine, l'image positive du miroir et du peigne et même, comme nous le verrons, la représentation des dames sur les ivoires eux-mêmes. Se conformant aux schémas traditionnels de la beauté corporelle, le récit de Guillaume commence au sommet de la tête de la jeune fille, avec ses cheveux, et descend jusqu'à ses pieds développant, point par point, un véritable inventaire du désir. Nous pouvons comparer la description de ce visage féminin idéal à une grande statuette parisienne contemporaine en ivoire (ill. 47) :

« [...] elle était belle et noble à merveille ; elle avait les cheveux dorés comme bassins, la chair tendre, front reluisant, sourcils voûtés, entr'œil grand à mesure, les yeux vairs comme faucon, douce haleine, face blanche et colorée, la bouche petite, les lèvres un peu grosses, et au menton une fossette ; le cou était de bonnes dimensions, assez gros et long raisonnablement, poli et doux au toucher, la gorge aussi blanche que neige neigée ; le corps était bien fait et délicat. Sur sa tête était posée une couronne d'orfroi mignonne et fort joliment travaillée, et par-dessus un chapeau de roses. Elle tenait en sa main un miroir ; elle avait tressé d'un riche galon sa chevelure ; ses manches étaient étroitement cousues, et pour garder ses mains de hâle, elle portait des gants blancs. [...] Quand elle avait bien peigné ses cheveux et bien ajusté ses atours, sa journée était faite ; elle prenait du bon temps, car elle n'avait d'autre souci que la toilette [...] "On m'appelle Oiseuse, dit-elle. Je suis femme riche et puissante. Mon bonheur ne consiste qu'à jouer et à me divertir, à me peigner et à me tresser" [...]. »

Bien que proche de la description de Guillaume de Lorris, le charmant visage à fossettes de la statue en ivoire, avec ses boucles soigneusement coiffées et sa couronne, n'est pas l'image d'une dame courtoise sur un ivoire profane, mais celle de l'ange de l'Annonciation. On dit que les anges sont asexués, mais bien souvent – comme pour le dieu de l'Amour qui ressemble à un ange – l'un ou l'autre des sexes prédomine. En réalité, les idéaux de beauté et d'atti-

46. Dame Oiseuse, son miroir et son peigne à la main, ouvre au poète la porte du verger, *Roman de la Rose*, Paris, vers 1380. Oxford, Bodleian Library, MS. e Museo 65, fol. 7 r°.

tude qui nous semblent appartenir à la société profane envahissaient tous les milieux parisiens, à un point tel que, dans un manuel de comportement estudiantin, Jean de Garlande, un maître de l'Université contemporain, encourageait les jeunes hommes à calquer leurs attitudes sur les statues qu'ils voyaient à l'église. De même que ces étudiants rugueux se modelaient sur les saints imperturbables et les anges androgynes des églises, les hommes et les femmes riches de Paris qui possédaient des miroirs et des peignes en ivoire apprenaient sans doute aussi à se reconnaître dans ces mannequins du désir élégamment lisses, même s'ils nous semblent aujourd'hui quelque peu stéréotypés et conventionnels. De nos

47. Le visage de la beauté. Statuette en ivoire, *L'Ange de l'Annonciation*, Paris, vers 1280-1300. Paris, musée du Louvre.

jours, il suffit d'ouvrir une revue de mode pour voir exactement les mêmes stéréotypes créés par l'industrie de la mode parisienne, et mis en scène avec des corps tout aussi utopiquement idéalisés que ceux des ivoires médiévaux.

La ceinture et la bourse

Dans le roman provençal *Flamenca* (vers 1260), Guillaume, l'amant de Flamenca, possède une « grande ceinture neuve » en cuir irlandais « dont la boucle ouvrée à la française, devait bien peser un bon marc d'argent même largement mesuré ; c'était une belle ceinture, riche et élégante ». Datant d'environ 1200, une boucle de ceinture en argent doré – vraisemblablement destinée à un homme du fait de sa petite largeur – constitue un exemple magnifiquement fondu, d'une étonnante complexité, de l'art de l'orfèvre, de qualité comparable à celle des figures en trois dimensions de l'orfèvrerie mosane (ill. 48). La plaque de boucle, sorte de rectangle de métal dans lequel s'insère l'extrémité de la lanière de la ceinture, figure un chevalier monté sur son destrier, la fine fleur de la chevalerie, suivi par son

page, s'approchant d'une dame debout dont le bras se tend pour toucher le sien. La boucle proprement dite montre le chevalier agenouillé devant sa dame, qui de nouveau lève la main pour lui parler. L'iconographie de la rencontre et l'hommage des deux amants résument le lien et la réunion des deux extrémités de la ceinture, l'extrémité active, masculine, se dirigeant vers son propre centre à sa droite (si on l'imagine portée autour de la taille), mais sa dame, debout à l'endroit où l'extrémité en cuir sera pénétrée par l'ardillon, en est la partie fixe, immobile. Donc, bien que cette ceinture figure l'attachement de l'amant à sa dame, elle épinglait littéralement sa dame – en tant qu'objet – à lui et non l'inverse lorsqu'elle était autour de sa taille.

De nombreuses ceintures médiévales évoquent par leur ornementation la division du corps humain : la notion d'être pensant au-dessus de la ceinture et le désir bestial qui l'anime, ce que l'on appelait – par euphémisme – « au-dessous de la ceinture ». Dans le *Traité de l'amour courtois* d'André Le Chapelain, le dialogue entre un grand seigneur et une dame de la haute noblesse comprend un long argument érudit quant aux mérites relatifs de la « partie supérieure »

48. Une dame accueille son prétendant. Boucle de ceinture masculine, art mosan, vers 1200. Argent doré, 9,5 x 5 cm. Stockholm, musée des Antiquités nationales.

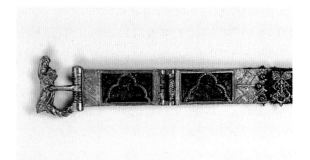

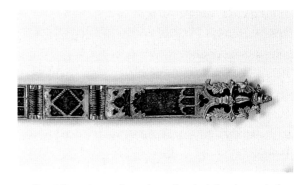

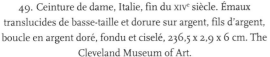

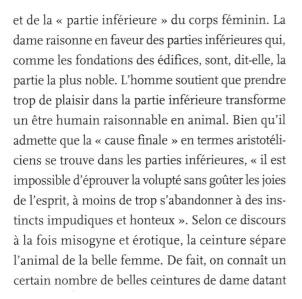

49. Ceinture de dame, Italie, fin du XIVᵉ siècle. Émaux translucides de basse-taille et dorure sur argent, fils d'argent, boucle en argent doré, fondu et ciselé, 236,5 x 2,9 x 6 cm. The Cleveland Museum of Art.

49a. (haut) Dame jouant du tambour. Boucle de la ceinture de dame.

49b. (bas) Une dame et son soupirant. Extrémité de la ceinture de dame.

et de la « partie inférieure » du corps féminin. La dame raisonne en faveur des parties inférieures qui, comme les fondations des édifices, sont, dit-elle, la partie la plus noble. L'homme soutient que prendre trop de plaisir dans la partie inférieure transforme un être humain raisonnable en animal. Bien qu'il admette que la « cause finale » en termes aristotéliciens se trouve dans les parties inférieures, « il est impossible d'éprouver la volupté sans goûter les joies de l'esprit, à moins de trop s'abandonner à des instincts impudiques et honteux ». Selon ce discours à la fois misogyne et érotique, la ceinture sépare l'animal de la belle femme. De fait, on connaît un certain nombre de belles ceintures de dame datant de l'époque gothique qui jouent sur cette division horizontale du corps, en représentant des hybrides (mi-humain, mi-animal). Une ceinture en émail conservée au musée de Baden-Baden est composée de monstres masculins et féminins, semi-humains, qui se rejoignent autour de la taille, dans le style de l'art miniaturiste du grand enlumineur parisien, Jean Pucelle. Un exemple plus tardif, dans ce cas précis italien, comporte également des hybrides (ill. 49). Il s'agit d'une ceinture de plus de deux mètres de long, décorée de vingt et un minuscules quadrilobes d'émail translucide sur argent. Sa longueur avait été calculée de manière à ce que son extrémité tombe sur l'ourlet du vêtement, ce qui suggère qu'elle fut exécutée pour une femme. La boucle proprement dite a la forme d'une femme jouant du tambour (ill. 49a). Les motifs gravés et émaillés sont disposés de façon à apparaître toujours verticalement lorsque la ceinture était portée. Des hommes semi-bestiaux (non des femmes), gravés sur le revers, étaient dissimulés contre le corps de la femme lorsque la ceinture tombait vers le sol. La dame se sentait-elle protégée par l'iconographie de cette ceinture lorsqu'elle la portait ? Le dernier segment de la ceinture proprement dite figure deux scènes : sur la première, le soupirant semble fort éloigné de sa dame, mais sur la dernière il parvient enfin à l'étreindre (ill. 49b). Si, comme Marcel Mauss l'a soutenu dans sa classique étude anthropologique, *Essais sur le don*, le don rituel est « toujours possédé par l'esprit de son donateur », le fait d'offrir un tel objet à une dame supposait des relations extrêmement intimes, aussi intimes que celles de l'homme qui étreint ici sa propre possession.

À la fin du XVe siècle, sur un écu de parade magnifiquement peint, une dame hautaine de la cour de Bourgogne portant un hennin agite devant un chevalier agenouillé une longue ceinture en or, similaire à la précédente, comme si elle s'apprêtait à l'ôter (ill. 50). Ici, la ceinture ressemble plus à une chaîne et la dame la tient à deux mains comme si elle était sur le point de l'en-

50. « *Vous, ou la Mort* ».
Écu de parade, Bourgogne, XVe siècle.
Tempera sur bois, H. : 83 cm.
Londres, British Museum.

lever pour la donner à son chevalier, voire de s'en servir pour l'attacher. L'inscription « Vous ou la Mort » ainsi que le squelette qui se tient derrière le jeune homme tel un macabre saint patron ne signifient pas qu'il se meurt d'amour, cela signifie plutôt qu'il a choisi la dame idéale comme bouclier symbolique pour le protéger lors d'un prochain tournoi. En 1480, un pauvre chevalier allemand nommé von Schaumburg reçut de sa maîtresse, qu'il avait juré de servir sa vie durant, tous les ornements, bijoux et atours nécessaires pour faire bonne figure lors des tournois de Franconie. Parfois ces objets – offerts comme prix lors des tournois – pouvaient renfermer des cheveux de la dame tressés dans une ceinture ou dans un bracelet. À l'instar de la ceinture verte que, dans le poème *Sir Gawain and the Green Knight [Gauvain et le chevalier vert]*, rédigé en moyen anglais, une mystérieuse dame offre à Gauvain pour le soumettre à l'autorité féminine, ces pièces de vêtement étaient également associées à la puissance protectrice, semi-magique, des femmes.

C'est à la ceinture qu'était suspendue la bourse, ou aumônière, un accessoire important de la garde-robe tant masculine que féminine, puisque à cette époque les vêtements ne comportaient pas de poche.

51. Bourse symbolisant les biens communautaires des époux, copie française du *Digeste* de Justinien, vers 1280. Paris, Bibliothèque nationale, MS. fr. 20118, fol. 266 r°.

Il n'y avait pas moins de cent vingt-quatre *faiseuses d'aumônières sarrazinoises* inventoriées dans les statuts des corporations parisiennes, une corporation dominée, comme tous les arts de l'aiguille, par des femmes. Il subsiste de nos jours un petit nombre de splendides aumônières brodées, dont une dans le trésor de la cathédrale de Troyes et une autre à Hambourg (voir ill. 37). Exécutée à Paris vers 1340, celle de Hambourg est brodée au point couché en fils d'or et d'argent et a conservé les cordons par lesquels on la suspendait à la ceinture. Elle figure une scène de divertissement dans un jardin, où l'on voit la dame saisir un jeune homme par son capuchon et le tirer vers elle pour essayer de le couronner. La signification exacte de ce geste – saisir son amant par le capuchon – n'est pas évidente. Dans le poème de Chaucer, *Troïle et Cresside* (vers 1382), la jeune fille demande au vieux Pandare comment se passe « la danse de l'amour » ; déplorant son absence d'amante, il réplique : « [...] toujours derrière [...] Notez que vous trouverez toujours / Divertissement dans mon capu-

chon. » Cette allusion sexuelle et badine au capuchon apparaît également dans l'association aumônière/ organes génitaux féminins de par sa forme, sa fonction et sa position sur le corps. En attirant son amant vers elle, cette dame maîtrise non seulement le capuchon en forme de phallus qu'elle empoigne, mais elle peut aussi fermer les cordons de la bourse. Ce qui ressemble à une innocente fredaine dans un jardin recèle en fait, comme tous les dons, non seulement le défi du conflit, mais aussi l'éventualité d'un refus.

Compte tenu des sources littéraires qui décrivent une femme offrant une aumônière qu'elle a brodée elle-même, cette image d'une dame faisant présent d'une couronne à son amant revêt, de plus, un intérêt particulier. Bien que cet exemple soit vraisemblablement l'œuvre d'une brodeuse professionnelle parisienne, on voit souvent la dame offrir son propre ouvrage. Le *Roman de la Rose* prétend : « La femme doit avoir soin de ne pas donner à celui qu'elle appelle son ami des présents de grande valeur : elle peut bien donner un oreiller, une touaille, un couvre-chef, une aumônière bon marché [...]. » L'aumônière est l'un des symboles les plus chargés de l'art médiéval : pendue au cou des avares en enfer, elle symbolisait le pouvoir de l'argent. De même, dans une copie du *Digeste* de Justinien rédigée en français (ill. 51), les biens possédés en communauté par les époux sont symbolisés par une grande aumônière analogue. Dans une miniature contemporaine du *Roman de la Rose*, où la dame tâte la « bourse » de son amant (ill. 52), l'habituelle association métaphorique de l'aumônière avec la vulve féminine s'est transformée pour devenir un jeu de mots sur le « sac » masculin et illustre une partie du long discours d'Ami qui, juste avant de décrire l'âge d'or où l'amour se donnait librement, le compare à la triste situation actuelle où les femmes se soucient davantage de la richesse de leur amant :

« [...] au lieu qu'une grande bourse bien lourde et toute farcie de besants, surgissant tout à coup, elle s'y jetterait à bras ouverts, car aujourd'hui les femmes ne mettent d'empressement que pour courir aux bourses pleines. » Il est clair que cette dame, en caressant la grosse aumônière ornée de pompons et de franges exactement semblable à celle qui est conservée à Hambourg, cherche autre chose que de l'argent. Certaines aumônières françaises du XIVe siècle conservées au Musée national du Moyen Âge à Paris sont décorées de merveilleux monstres hybrides, qui évoquent la bourse masculine qui pend ici sous la taille dans les « régions inférieures », c'est-à-dire animales. Lorsque, dans un fabliau français, une épouse prie pour que son mari soit transformé en véritable porcépic de phallus, celui-ci exprime le vœu qu'elle soit dotée d'autant d'aumônières, c'est-à-dire de vagins. C'est ainsi que, plus les objets médiévaux sont associables au corps, plus ils ont de chances de ressusciter pour jouer de nouveau le rôle pervers – d'un point de vue polymorphe – qu'ils assumaient parfois.

LE COFFRET ET LA CLÉ

Un coffret catalan, composé de panneaux de bronze estampé fixés sur un châssis en bois, est orné sur sa face antérieure d'amants courtois. Il appartient à une catégorie d'objets produits en série à partir de la fin du XIVe siècle, qui adaptent à un support différent une iconographie semblable à celle des anciens coffrets en bois ou en ivoire (ill. 53). De même que nous savons que les sculpteurs sur ivoire produisaient à l'avance de nombreux exemplaires de scènes courantes qui pouvaient être combinées de différentes manières de façon à former un coffret, ces scènes en métal estampé sont des « logos » conventionnels de l'amour. Au centre, un amant est agenouillé, un faucon au poing ; sa bien-aimée tient un bouquet de fleurs. Le coffret, avec ses métaphores de l'ouverture et de la fermeture, son intériorité et sa surface extérieure, était toujours étroitement lié à l'inviolabilité du corps féminin, ouvert seulement à l'époux-propriétaire. Cela est vrai des coffres de toutes les tailles et de tous les genres, depuis les petits coffrets en ivoire exécutés à Paris au XIVe siècle en passant par les *Kistlin* en cuir et bois de l'Allemagne du XIVe siècle, légèrement plus grands, jusqu'aux paires de coffres de la taille d'une malle, dites *cassone*, utilisées lors des cérémonies de mariage à Florence à l'époque de la Renaissance. Ces articles étaient généralement achetés par le fiancé et sa famille pour apporter des cadeaux à la future épouse ou transférer une partie de sa dot vers lui ; ensuite ils servaient de coffres de rangement, de meubles ou de coffrets à bijoux dans la chambre conjugale. Dans le cadre d'une économie fondée sur le don, leur iconographie

52. La dame palpe la « bourse » de son amant, *Roman de la Rose*, France, vers 1280. Rome, Biblioteca Apostolica Vaticana, MS. Urb. 376, fol. 51 v°.

53. L'amant, la bien-aimée et des monstres. Coffret catalan, vers 1400.
Panneaux en bronze estampé sur châssis en bois, 9 x 38 x 10 cm.
Barcelone, Museum nacional d'Art de Catalunya.

symbolisant l'autorité et la retenue en fait plus des biens, véritables messagers sociaux et officiels d'échange, que des objets privés et secrets. Comme sur les ceintures (plus intimes), des hybrides et des monstres servent ici de références aux passions plus viles du corps inférieur ; apprivoisés, ils jouent maintenant un rôle protecteur, comme le centaure de cet exemple. Il ne faut jamais perdre de vue le statut quasi sacré de la propriété dans la culture médiévale. Les vols et les crimes contre la propriété étaient punis beaucoup plus sévèrement que les crimes contre les personnes ; c'est ainsi qu'une grande partie de l'art médiéval doit être considérée à la fois comme un bien et un moyen de protéger ce bien. Offrir des cadeaux était une affaire sérieuse ; c'est ce qu'ont pu vérifier à leurs dépens les trois belles-filles du roi Philippe le Bel lors d'un scandale qui ébranla la Cour au mois de mai 1314. Elles avaient donné à quelques jeunes chevaliers de leur entourage des cadeaux qui leur

avaient été offerts par leur belle-sœur, la reine Isabelle, épouse de l'infortuné roi Édouard II d'Angleterre. Accusées d'adultère, les princesses furent incarcérées et leurs amants supposés, Philippe et Gaultier d'Aunay, publiquement suppliciés en place de Grève à Paris. Quiconque met en doute le fait que l'aspect adultère de l'amour courtois n'est qu'une fantaisie devrait se souvenir de cette histoire, où des accusations d'inconduite au sein même de la famille royale furent suivies d'un châtiment impitoyable.

Qu'une dame ait le pouvoir d'apprivoiser et de maîtriser les pulsions animales de son soupirant permet de comprendre la popularité du thème de l'homme sauvage qui apparaît sur un certain nombre de coffrets allemands. Ces créatures merveilleusement poilues incarnaient le côté bestial de la nature humaine mais, dès la fin du Moyen Âge, elles traduisaient aussi, de la part des membres des cours précieuses d'Europe, une forme précoce de primitivisme, une nostalgie d'une époque révolue, plus fruste, des mythes de la « vie simple » qui, plus tard, seraient projetés sur les classes sociales les plus humbles. Datant du milieu du XIVᵉ siècle, deux coffrets peints, actuellement conservés à Hambourg (Museum für Kunst und Gewerbe) et à Cologne (ill. 54), figurent un récit similaire où l'on voit un homme des bois se battre contre un jeune chevalier pour la possession d'une dame. Sur le coffret de Cologne, la première scène le montre assis dans un arbre ; il contemple la dame, comme lors de la première étape de toute quête amoureuse digne de ce nom. À droite, il la poursuit puis, sur le panneau de l'extrémité droite, on le voit tenter de l'étreindre. Le jeune chevalier ne se précipite pas pour défendre la dame avec ses armes, il lui montre simplement un anneau de mariage, qu'il offre de sa main tendue. La dame doit choisir entre le monstre fruste et velu, qui représente la sensualité, et le chevalier courtois et raffiné qui symbolise le monde civilisé. Sur le coffret de Hambourg, c'est le

jeune et valeureux chevalier qui est choisi et couronné par la dame, tandis que deux monstres, synonymes de la concupiscence de l'homme sauvage, vaincus, se font tout petits. Ce qui est étrange dans la version de Cologne, c'est que la dame a préféré l'homme sauvage, poilu, au chevalier falot et, dans la dernière scène du coffret, elle finit même par jouer aux échecs avec son ravisseur velu. Le prétendant qui commanda le coffret – il était peut-être beaucoup plus âgé que sa fiancée – a pu exprimer son désir physique par le biais de cette créature libidineuse poilue, tout en indiquant qu'il était tout disposé, une fois sa demande agréée, à se laisser apprivoiser. Dans la dernière scène, l'homme sauvage est assis, un faucon au poing, sa bestialité s'est muée en douceur. Il apparaît donc que le rôle de la femme n'est pas d'être un simple objet du désir mais aussi d'exercer une influence civilisatrice sur l'appétit sexuel masculin. Cet objet enseigne aux deux sexes leur rôle respectif en matière de comportement courtois et non courtois.

54. Le choix entre l'homme sauvage et le chevalier. Coffret, Cologne, 1350-1370.
Chêne peint, panneau de l'extrémité droite, 12 x 23,5 cm. Cologne, Museum für Angewandte Kunst.

55. Amants autour de la serrure du cœur.
Couvercle de coffret, Flandres, vers 1400.
Cuir moulé et incisé sur bois, 21,6 x 16,5 cm. New York,
The Metropolitan Museum of Art.

Un coffret flamand en cuir réunit certains des thèmes et des objets dont il a été question dans ce chapitre : l'échange des cadeaux, la ceinture et le coffret. Il s'agit d'un type de coffret en cuir mouillé et assoupli, puis moulé et façonné autour d'un noyau de façon à créer des figures en relief, une technique qui suggère en elle-même les rencontres charnelles que ces scènes représentent souvent. Sur le couvercle (ill. 55), on voit une scène insolite : une dame peigne les cheveux de son amant. Sur la face antérieure, autour de la serrure, elle lui offre la ceinture qui entourait sa taille. Cet exemple montre aussi que nous devons considérer ces objets plus comme des signes changeants et polyvalents d'une réalité substantielle que comme de simples symboles sexuels. Il est impossible ici de considérer ce coffret en tant que simple symbole du corps féminin et l'entrée de serrure comme point de pénétration. Le grand cœur qui entoure la serrure est le cadeau d'amour de l'amant à sa bien-aimée, exprimant ironiquement les aspirations chastes et nobles de la forme supérieure d'amour

qu'il lui présente. Dans un chapitre ultérieur nous reviendrons plus en détail sur ce thème de l'ouverture du cœur de l'amant. Pour le moment, il suffit de dire que le cœur au-dessus de la serrure représente le pouvoir de la dame sur son amant. Dans *Yvain*, un poème de Chrétien de Troyes datant de la fin du XIIe siècle, le héros, repoussé par sa bien-aimée Laudine, revient vers elle, déguisé, pour lui dire qu'elle détient la clé et possède le coffret où est enfermé son bonheur. L'iconographie de ce coffret célèbre la réciprocité du don : elle lui peigne les cheveux, il est autorisé à l'embrasser, il lui donne son cœur, elle lui donne sa ceinture, il lui offre cet objet, et en l'acceptant elle entre dans l'univers imaginaire des rapports et des rituels de l'amant, symbolisé par le coffret. La bien-aimée détient la clé imaginaire de son cœur, mais il est plus que probable que le prétendant a conservé la clé du coffret.

Les coffrets servaient à transmettre, outre les cadeaux, des messages d'amour sous forme de lettres. Un merveilleux dessin en grisaille conservé sur un fragment de parchemin montre la remise de deux messages à deux jeunes femmes dont les corps ondulants et concaves, créés par les arcs de volumineux drapés gonflés et les torses ronds sans poitrine, obéissent à la mode de la fin du XIVe siècle (ill. 56). À gauche, un homme barbu plus âgé sort de son long capuchon tubulaire un message, et à droite, devant une autre dame qui peigne sa longue chevelure, un jeune messager imberbe ouvre une « layette », sorte de petit coffre dans lequel on rangeait des dépêches ou des lettres. L'homme le plus âgé cherche peut-être la clé du trésor que la dame a donné au poète et qui pend autour de son cou, comme le raconte Guillaume de Machaut dans le livre du *Voir Dit*, dont nous avons déjà vu une illustration (voir ill. 17). Si tel était le cas, les deux belles figurées dans ce dessin seraient Toute

Belle et la légendaire reine Sémiramis, qui aurait cessé de se tresser les cheveux parce que son royaume était menacé. Le capuchon flasque du vieillard fait allusion à la perte de virilité qui hante l'œuvre de ce poète. Faut-il considérer cette longue bande de parchemin comme un fragment de livre de modèles ou, au contraire, ne vaudrait-il pas mieux y voir l'équivalent plastique d'un poème d'amour qui, au Moyen Âge, était parfois écrit sur ces longues bandes de parchemin pour servir lors de spectacles. Dans ce cas, il aurait été inspiré par l'œuvre de Machaut, et envoyé par un artiste – et non un poète – à la double dame de ses pensées.

Il serait par trop simpliste de considérer ces images d'amants médiévaux comme des « reflets » d'un « amour courtois » aussi banal que, de nos jours, le « sexe protégé ». En réalité les illustrations de ce livre expriment des désirs moins tangibles, des codes culturels plus équivoques et des fantaisies très personnelles. Il ne s'agit pas d'images de la vie quotidienne au Moyen Âge. Croire cela reviendrait à imaginer que dans mille ans d'ici, les gens pourront

apprécier les habitudes quotidiennes et l'apparence des gens de notre époque d'après les seules images de nos magazines de mode. Or, nous savons bien qu'il s'agit de fantaisies, d'idéalisations et de distorsions que nous trouvons désirables et attrayantes. Ce dessin – une fantaisie d'artiste – est un exemple qui prouve que nous ne savons pas toujours trouver d'explication satisfaisante à la fonction sociale réelle d'une image médiévale. Pourtant, le rituel qu'elle figure se rapporte clairement, d'une façon ou d'une autre, à des pratiques sociales et nous montre vraisemblablement la destination ou l'utilisation des coffrets que nous venons d'étudier. En effet, ces coffrets n'étaient pas des objets de musée, mais des biens mobiliers, qui pouvaient être déplacés et utilisés pour transmettre des messages, tant réels à l'intérieur que figurés sur leurs parois externes.

Associée à la chevelure féminine, l'action d'ouvrir et de fermer confère à ce dessin un puissant parfum du désir érotique masculin. Elle constitue aussi le point d'orgue de la sixième pièce de la célèbre tenture de *La Dame à la licorne* conservée au musée

56. Deux messagers et deux dames. Dessin à la plume et à l'encre sur parchemin, Paris, vers 1400.
Berlin, Staatliche Museen Preussischer Kulturbesitz, cabinet des Estampes.

57. *Le Désir de la dame* (?). Détail de la sixième pièce de *La Dame à la licorne,* tenture de six tapisseries tissées en France ou aux Pays-Bas du Sud, vers 1500. Paris, musée national du Moyen Âge - Thermes de Cluny.

national du Moyen Âge à Paris, dont les cinq autres représentent les sens (ill. 57). Ici, devant une tente où scintillent des larmes d'or qui ressemblent aussi à de petites flammes de feu jaillissantes, la dame se tient debout entre ses deux protecteurs héraldiques, le lion et la licorne, accompagnée d'une suivante qui lui présente un coffret ouvert. Les questions qui ont, depuis si longtemps, laissé perplexes les médiévistes – qui est exactement cette dame figurée dans les six tapisseries ? Et à qui envoie-t-elle ou de qui reçoit-elle ce cadeau ? – négligent le fait que l'amour est le plus souvent fait de fantaisie : l'on donne quelque chose qui n'existe pas, à quelqu'un issu de sa propre imagination. Le don est la seule chose qui existe réellement. La seule personne réelle dans ce scénario est, comme nous l'avons établi pour *La Vue*, le mécène, Jean Le Viste lui-même. La dame, qui se tient ici debout devant sa tente est, on l'a avancé, en train de renoncer aux cinq sens représentés dans les cinq autres tapisseries, rejetant les plaisirs de ce monde pour un idéal plus élevé de son libre arbitre (*À mon seul désir*). Cette femme ne renonce pas, mais elle ne choisit pas non plus. Elle semble plutôt être en train de donner, déposant un collier de pierres précieuses dans le coffret après l'avoir enveloppé d'un linge lui appartenant. En envoyant à son bien-aimé un gage de son amour, laissant son cou blanc et nu, elle associe deux des symboles forts du corps que nous avons évoqués dans ce chapitre : le collier, qui comme la ceinture entourait sa propre chair, et le coffret qui emportera son secret. En revanche, ce qui n'a pas attiré l'attention, c'est le fait que cette dame – contrairement aux autres femmes de la tenture – a des cheveux courts, pendants, presque épars, ce qu'aucune dame courtoise n'aurait accepté, sauf

si elle avait voulu signaler qu'elle avait coupé ses longs cheveux pour les incorporer au collier de perles et de pierres précieuses qu'elle est en train de placer dans le coffret. Elle a, comme dans de nombreuses sources littéraires (et même certaines sources historiques) contemporaines, fait don de ses propres cheveux à son amant. Comme dans la description de Largesse dans le *Roman de la Rose*, dont le « cou était découvert, car elle avait fait présent naguère de son fermail à une dame, mais cela ne la déparait point car le collet dégrafé découvrait sous la chemise la gorge blanche et délicate », on retrouve ici une certaine charge érotique de la chair nue contre la riche étoffe veloutée.

Il nous faut à nouveau nous poser la question fondamentale, objet de cette étude : qui éprouve le désir représenté ici ? La devise inscrite au sommet de la tente (au-dessus de la tête de la dame) a été diversement interprétée. Mais peut-elle vraiment faire référence au *propre désir* de cette dame de renoncer à ses sens pour un amour supérieur alors que, en tant qu'objet dans ce contexte précis, elle ne peut avoir aucun désir propre ? Quelle que soit la façon dont on interprète ces mots énigmatiques inscrits sur le sommet de la tente, ils désignent toujours, au-delà de la tapisserie, une autre personne et un autre lieu : Jean Le Viste, le mécène. Chacune des six pièces met en scène de façon différente le même autoéro-tisme que celui de la licorne se regardant dans le miroir dans *La Vue*. Même si elle renonce effective-ment aux plaisirs des cinq sens pour « mon seul désir », dans l'inexorable et paradoxale logique « machiste » de l'image médiévale, son seul désir (son désir *pour* lui) est en fait *son* désir *à lui* (pour lui-même) et certainement pas celui de la dame.

58. Robinet Testard,
Le regard de Désir, *Le Livre des échecs amoureux*, Poitiers, 1496-1498.
Paris, Bibliothèque nationale, MS. fr. 143, fol. 198 v°.

CHAPITRE TROIS

LES LIEUX DE L'AMOUR

En échangeant ces propos, nous avions parcouru un long chemin et nous parvînmes à un endroit enchanteur où s'étendaient en une harmonie infinie les prairies les plus belles qu'un mortel ait jamais pu voir [...] Cet espace était circulaire et divisé concentriquement en trois parties distinctes [...] Au milieu du premier cercle, celui du centre, s'élevait un arbre d'une hauteur étonnante qui portait à profusion des fruits de toutes sortes [...] À son pied jaillissait une source merveilleuse dont l'eau était d'une admirable pureté et qui offrait à ceux qui en goûtaient le plus doux des nectars [...]

André Le Chapelain

André Le Chapelain, dans son cinquième dialogue fictif entre deux aristocrates – une femme hostile à l'amour et un homme qui tente de la persuader de la noblesse et de la splendeur de l'amour –, introduit la notion de *locus amoenus*, ou «lieu de plaisance», une notion dérivant de la poésie antique et du haut Moyen Âge et qui est fondamentale à l'art de l'amour médiéval. À la différence des grands lieux de pèlerinage et des cathédrales de l'Occident médiéval que l'on peut encore voir de nos jours, les

59. Accordailles dans le jardin de l'amour. Fermail de mariage, Allemagne ou Bourgogne, vers 1430. Or, émail et pierres précieuses. Vienne, Kunsthistorisches Museum.

sites du midi de la France tel le château des Baux-de-Provence, bâti sur un éperon rocheux, où les troubadours commencèrent à chanter l'amour, sont à présent en ruine, comme le sont aussi la plupart des grands bâtiments profanes de France et d'Angleterre. Et lorsqu'ils sont encore debout, leurs intérieurs ont été dépouillés de la plupart des somptueuses tapisseries et des peintures qui créaient jadis de véritables jardins au cœur même de la demeure. À l'instar du paradis perdu, le «lieu de plaisance» est peuplé de ruisseaux, avec un arbre au milieu du jardin.

60. L'Amant arrive à la porte du verger de Déduit,
Roman de la Rose, Paris, vers 1400. Londres,
British Library, MS. Egerton 1069, fol. 1 r°.

Figuré dans d'innombrables textes poétiques et images du Moyen Âge, c'est sa description au début du *Roman de la Rose* qui aura le plus d'impact (ill. 60).

L'enlumineur de ce manuscrit parisien a choisi de reléguer dans une lettrine située au-dessous la scène de rêve qui illustre habituellement les premières lignes du poème de Guillaume de Lorris et de représenter pratiquement en pleine page le poète qui approche de l'enceinte du jardin clos, le verger de Déduit (Plaisir, Divertissement, voire Désir). Au centre se trouve la fontaine de Narcisse, que nous avons déjà vue. Le grand jardin clos de la miniature avec ses créneaux, ses tours et ses tourelles, présente aussi des allusions à l'architecture palatiale. On y trouve aussi des échos bibliques des plaisirs perdus du jardin d'Éden et du *hortus conclusus* ou « jardin clos » du Cantique des cantiques, considéré comme un symbole de la pureté virginale de Marie. Les lieux de l'amour sont, comme ce jardin, imaginaires. Dans ce monde clos et irréel, les reliefs sculptés sur l'extérieur du mur d'enceinte figurent les vices exclus du jardin de l'Amour :

« Convoitise », « Avarice », « Envie » et « Tristesse ». Représentées comme des vieillardes qui, telle Avarice dissimulant ses biens ou regardant avec malveillance comme Envie, contrastent avec la jeune fille qui ouvre la porte pour laisser entrer l'amant. C'est Dame Oiseuse, « femme riche et puissante » dont la principale occupation est de se peigner et que nous avons déjà rencontrée. Elle dit à l'amant comment Déduit a fait construire le mur pour exclure tout ce qui est hostile à l'amour. Au centre, le poète est de nouveau figuré en train de regarder dans la fontaine, où il aperçoit pour la première fois Rose, la jeune fille objet de sa quête. Le reflet occupe tout le centre du jardin, comme pour souligner la nature illusoire du verger de Déduit qui n'est qu'une image de plus. Comme tant d'images de l'amour, celle-ci semble vouloir malicieusement saper son cadre superbe, troubler les eaux planes de sa surface par des distorsions et des ondulations qui en détruisent l'illusion, puisque tout ce qui se trouve au centre du verger du Déduit n'est pas l'objet bien-aimé, mais encore une fois le sujet lui-même.

LE JARDIN CLOS

Le jardin servait à circonscrire un espace artificiel et distinct du monde réel. Sculptés tout autour d'un extraordinaire gobelet français en ivoire, les arbres d'un jardin apportent de l'ombre à des couples d'amants qui se jouent de la musique, se lisent un abécédaire de l'amour et échangent des couronnes (ill. 61). Cette scène accentue l'aspect civilisateur du jardin en tant que lieu de détente, de savoir et de raffinement, où la nature brute est apprivoisée et cultivée, comme le sont les passions humaines les plus viles. La même forme circulaire réunit, sur un fermail en émail représentant vraisemblablement les accordailles de deux jeunes gens fortunés (voir ill. 59), de plus petits objets

61. Les plaisirs dans le jardin de l'Amour. Gobelet, France, XIVᵉ siècle. Ivoire, 7,7 cm.
Vannes, musée d'Archéologie du Morbihan.

derrière une clôture symbolisant à la fois la couronne de fleurs et l'anneau des accordailles lui-même. Vêtu de bleu, couleur de la constance, le couple, entouré d'une claie d'or tressé et incisé de manière à suggérer la texture rugueuse de l'écorce de branchages, se fait serment de fidélité. Des perles sont fixées sur la partie inférieure de la clôture et deux pierres précieuses – un diamant triangulaire et un rubis – suggèrent la dualité du symbolisme chaud-froid fréquent dans l'iconographie de l'amour. La clarté cristalline du diamant symbolise pour sa part la constance et la longévité de l'amour, tandis que le rubis – placé au-dessous du diamant –, associé à la force brûlante de l'amour, indique très clairement la hiérarchie établie au sein de ces accordailles. Un tel fermail pouvait être indifféremment porté par un homme ou par une femme : un exemple très semblable, figurant «un homme et une femme en blanc», serti de quatre rubis, un saphir et huit perles fut d'ailleurs offert par Catherine de Bourgogne à son époux Léopold d'Autriche à l'occasion de leur mariage, célébré en 1388. Sorte de version profane de l'initiale O qui ouvrait certains manuscrits monastiques du Cantique des cantiques deux siècles auparavant, la forme circulaire de ce fermail symbolise encore un «jardin clos» même si, à défaut d'étreinte langoureuse, la *sponsa* se tient, l'air guindé, à côté de l'époux, sa main gauche tendue vers la sienne. On peut le comparer au fermail protecteur décrit par Johannes de Hauville : «Mon épouse portera un fermail, témoin de sa pudeur et preuve que

62. Les amants au marché, *Le Chevalier errant*, Paris, vers 1410.
Paris, Bibliothèque nationale, MS. fr. 12559, fol. 167 r°.

son lit sera chaste. Il fermera son sein et repoussera tout importun, empêchant que son accès fermé ne s'ouvre et que l'entrée de sa poitrine ne soit rabaissée en devenant un chemin battu pour tout voyageur, et qu'un œil adultère ne goûte à ce qui réjouit les caresses honorables d'un époux.»

Dès la fin du Moyen Âge, le jardin, à l'instar de la fontaine et du château, était déjà un espace mythique de nostalgie. Bon nombre des plus beaux jardins de France, tel celui du palais royal situé dans l'île de la Cité, se trouvaient en plein centre des villes. Pourtant, le jardin n'était pas le lieu de l'amour, et encore moins le lieu où ces images et ces objets furent fabriqués et admirés par leurs nobles commanditaires. L'espace

social réel dans lequel circulaient ces objets – le marché – pénètre rarement dans le monde immatériel des romans et dans les clairières pastorales du discours poétique. Toutefois, dans un roman magnifiquement illustré des habituelles images de jardins et de châteaux, des amants sont figurés faisant quelque chose de nouveau, que les amoureux font encore de nos jours à Paris : des emplettes (ill. 62). Dans une «cité noble et belle» ils voient «une multitude de gens qui sont venus à la foire qui s'y tient». Tel un anti-jardin de l'Amour, cet espace circulaire du désir visuel est clôturé comme le verger de Déduit dans le *Roman de la Rose*, à ceci près que les échoppes qui entourent le marché proposent non pas une vision idéale de la

63. Scènes du roman de *La Châtelaine de Vergi*, vers 1390.
Fresque. Florence, Palazzo Davanzati.

nature, mais des produits délicieux ou précieux soit manufacturés soit, dans le cas des animaux, élevés par l'homme. Ce milieu urbain participait à la création d'un paysage de désir perdu et idéalisé comme celui qui est décrit et enluminé dans le *Roman de la Rose.*

On peut voir au cœur de Florence – une grande métropole européenne où des familles marchandes patriciennes telles que les Davanzati cherchaient à donner à leurs splendides demeures privées une touche de ce vieux monde féodal fleuri de la France – un jardin dans un environnement urbain. Quatre salles du Palazzo Davanzati furent peintes de fresques au cours des années 1390 ; toutes sont ornées de fleurs

et de haies, mais l'une d'elles comporte une série de fresques narratives encore plus élaborées (ill. 63). Elles dérivent de *La Châtelaine de Vergi*, un récit de loyauté féodale, d'adultère, de secret, de trahison et de mort déjà populaire depuis longtemps en France, où il ornait des coffrets en ivoire (voir ill. 87). Dans le palais florentin, ce thème a été adapté pour la chambre nuptiale. Les peintures illustrent l'histoire d'amour qui unit la jeune châtelaine et un chevalier, histoire qui, insiste-t-elle, doit rester ignorée de son oncle le duc. Le secret est le thème central du récit : « Quar tant com l'amor est plus grant / Sont pluis mari li fin amant, / Quant li uns d'aus de l'autre croit / Qu'il ait dit ce que celer doit » L'épouse du duc, elle-même éprise du

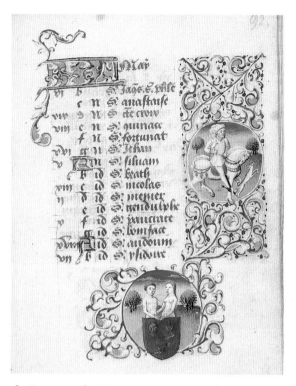

64. Fauconnier, les Gémeaux en amants, page du mois de mai, *Livre d'heures de Simon de Varie*, Paris et Tours, vers 1455. La Haye, Koninklijke Bibliotheek, MS. 74 g 37a, fol. 92 r°.

chevalier et jalouse de le voir aimer une personne d'un rang inférieur au sien, amène par la ruse son mari à obliger son jeune parent à tout lui raconter ; découverte et, pense-t-elle, trahie par son amant, la châtelaine se suicide. Le récit, censé avoir lieu dans la lointaine Bourgogne, se déroule dans un jardin que l'on aperçoit derrière une tapisserie qui occupe la quasi-hauteur de la pièce sans toutefois toucher le sol. L'écu des Alberti, sculpté sur la console gauche de la cheminée située à l'angle des murs oriental et méridional, fait face aux armes des Davizzi. Il est étonnant de voir dans une chambre à coucher – qui fut même spécialement décorée pour les célébrations nuptiales – des scènes qui illustrent en partie la perfidie de la duchesse en la montrant en train de s'éloigner du lit

conjugal. L'histoire de *La Châtelaine de Vergi*, depuis le premier instant de la rencontre des deux amants, lorsque le jeune chevalier aperçoit la dame, jusqu'à son dénouement sur le mur méridional, où le duc tue sa perfide épouse après avoir découvert qu'elle était responsable de la mort des amants, a pour cadre unique le jardin. C'est, dans le contexte de la bourgeoisie naissante, une étrange histoire de secret et d'intimité célébrant moins les anciennes vertus féodales de générosité et de franchise que les vertus civiques de fidélité à ses engagements. Ce dernier mur montre le suicide de la dame suivi de celui du jeune chevalier, puis le duc courroucé tranchant la tête de son épouse. Il est clair que ce vieux conte français ne devait pas constituer un spectacle très plaisant à l'heure du coucher, mais il avait pour but de servir de leçon moralisatrice exhortant les épouses de la famille Davanzati, lorsqu'elles étaient allongées dans leur lit, à ne pas suivre l'exemple de la méchante duchesse que l'on voit sauter du lit conjugal dans un délire de jalousie mais, au contraire, de demeurer silencieuses et fidèles aux côtés de leur mari. Il concerne également, comme la plupart des histoires de mariage, la généalogie et la condition sociale. Le début de la version italienne du récit commence ainsi : « C'est une nouvelle histoire pour donner l'exemple à quiconque veut aimer, d'un chevalier et d'une dame, de noble lignée et de hauts faits – et comment, à cause de l'amour, chacun est mort. »

Si les peintures murales créaient des jardins d'Amour, luxueux cadres de vie pour de riches citadins, le livre, dont les pages ouvertes étaient souvent ornées de marges fleuries et de vignes luxuriantes, constituait aussi un support privilégié pour visualiser un espace d'amour imaginaire. C'était surtout dans les manuscrits – objets de luxe qui, pour la plupart, renfermaient des prières que les pieux et riches lecteurs chuchotaient dans leur propre chapelle, voire dans leur chambre à coucher – que l'iconographie du jardin de l'Amour s'est le plus développée. Si le jardin était le lieu de l'amour, le printemps était sa saison. Lorsque l'on regarde dans les livres d'heures les illustrations de calendriers figurant les «labeurs du mois», celui de mai n'est pas un labeur mais plutôt le divertissement aristocratique d'un chevalier partant sur son cheval chasser du gibier mais aussi des dames. Les plaisirs amoureux du printemps que tous les poètes, depuis les troubadours jusqu'à Chaucer, ont célébrés dans des images de bourgeons prêts à éclore et d'animaux qui gambadent, sont éloquemment illustrés par le signe zodiacal du mois de mai qui, normalement, devrait représenter le signe astrologique des Gémeaux par des jumeaux mais qui transforme souvent ces figures en partenaires d'un jeu érotique et incestueux. Figurés en nus masculin et féminin, ils se caressent parfois et peuvent même s'embrasser. Et lorsqu'ils dissimulent leur nudité derrière un écu, comme dans le *Livre d'heures* exécuté pour Simon de Varie, un riche bourgeois de Bourges anobli par Charles VII en 1448, leur contact timide distille une charge sexuelle qui les relie au chien bondissant, aux lapins sémillants et à la chasse animée qui se déroule au-dessus (ill. 64). N'oublions pas, en regardant ces images, que l'on considérait qu'une fille de douze ans pouvait avoir une activité sexuelle, et les garçons guère plus tard. En outre, si l'on se souvient que beaucoup d'hommes épousaient des femmes largement plus jeunes qu'eux, la plupart des images d'amants de l'art médiéval représentent des unions qui, de nos jours, seraient illégales dans de nombreux pays.

L'obsession des plantes fleuries, des herbes fraîches et des odeurs douces que l'on rencontre dans le jardin de l'Amour n'est pas seulement esthétique, elle revêt un aspect pratique et médical. Des manuscrits du *Tacuinum sanitatis*, un manuel de santé du XVe

65. Amants et aphrodisiaques, herbier, Lombardie, vers 1400. Londres, British Library, MS. Sloane 4016, fol. 44 v°.

siècle comportant des illustrations en pleine page, nous montrent des amants qui jouent sous des arbres avec des coloquintes, des hommes qui pressent des melons ressemblant à des seins et se délectent d'autres fruits ou légumes symboles de plaisir sensuel. La tradition picturale des herbiers, dérivant de la tradition médicale latine de Salerne, leur était apparentée. Dans ces ouvrages, certains «simples» – des substances organiques que l'on pensait, lorsqu'elles étaient absorbées seules, capables de guérir toutes sortes de maladies y compris celle de l'amour – ont été admirablement illustrés par des artistes italiens du XIVe siècle. Chaque fleur, chaque légume avait non seulement de multiples significations symboliques mais aussi des utilisations médicinales. Sur chaque

66. La Carole de Déduit, *Roman de la Rose*, Flandres, vers 1490.
Londres, British Library, MS. Harley 4425, fol. 14 v°.

page, deux ou trois «simples» sont figurés, accompagnés de «situations» témoignant de leurs effets thérapeutiques (ill. 65). Ici la jacinthe, à droite, est indiquée comme susceptible d'améliorer les problèmes urinaires et la menstruation, tandis qu'à côté de l'*hypuris* un élégant couple assis sur un banc suggère ses pouvoirs aphrodisiaques.

Dans les étonnantes démonstrations de virtuosité naturaliste dont les enlumineurs de la fin du Moyen Âge ont fait preuve dans des marges peintes avec un grand souci de détail botanique, certaines de ces plantes médicinales et magiques semblent presque conser-

vées comme des fleurs séchées. On peut en voir un exemple dans un manuscrit flamand du *Roman de la Rose* exécuté pour Engelbert de Nassau, membre de l'ordre bourguignon de la Toison d'or. Il évoque également la texture lourde des vêtements et des riches étoffes décrites dans le texte (ill. 66). Se pavanant comme des paons dans une scène en pleine page illustrant la carole, ou ronde, de Déduit, les figures masculines sont encore plus somptueusement vêtues que les jeunes femmes qui les accompagnent. À gauche, Courtoisie tend la main pour inviter le rêveur/poète à se joindre à la danse conduite par Déduit, qui a encore le duvet de l'adolescence sur ses joues, et « Liesse la joyeuse, la bien chantante qui, à peine âgée de sept ans, lui octroya son amour ». Ensuite viennent le dieu d'Amour ailé et sa dame, Beauté. Puis Dame Richesse et son « gigolo », qui nous tourne le dos pour que nous ne voyions pas son visage. Les deux jeunes hommes placés au premier plan restent également anonymes dans le texte, l'un étant le chevalier compagnon de Largesse, l'autre le partenaire de Franchise, « un jeune bachelier [...] je ne sais comment il s'appelait ». On peut imaginer que ces deux beaux jeunes gens représentaient des personnes précises, parents d'Engelbert de Nassau. Si les figures féminines sont des personnifications idéalisées, en revanche, ces hommes sont, encore une fois, des modèles pour l'identification masculine. Contrairement aux enlumineurs du XIVe siècle, qui se contentaient de représenter la trame d'une histoire à l'aide de figures vives mais articulées de façon simple contre des fonds rudimentaires, l'artiste du XVe siècle se voyait obligé de faire du rêve un véritable « miroir pour les amants », de façon que les propriétaires futurs du manuscrit, comme Heinrich, le jeune neveu d'Engelbert, puissent littéralement se reconnaître dans ses pages fleuries.

Vers la fin d'un superbe manuscrit de très grande taille exécuté au déclin du Moyen Âge pour Louise de Savoie, la mère de François Ier, nous voyons un amant qui se trouve non pas à l'intérieur mais à l'extérieur du jardin du Désir (voir ill. 58). Ce jardin s'articule selon un quadrillage de parterres rectangulaires, bien que l'artiste ait ici fait appel à l'espace non pour obéir à une perspective rationnelle mais pour placer idéalement d'un point de vue optique les personnifications féminines à l'intérieur d'une allégorie complexe du désir masculin. Cette œuvre est l'anonyme *Livre des échecs amoureux* (1370-1430), une allégorie en partie fondée sur le *Roman de la Rose* mais qui comporte également des évocations antiques encore plus complexes et ambiguës. Le jardin lui-même ressemble aux cases d'un échiquier et présente au poète des choix délicats. Gouverné par Nature, qui se tient à la porte la clé à la main, le jardin abrite trois femmes. À l'extérieur, le poète, accompagné du jeune et beau Déduit vêtu de plumes de paon, hésite encore entre Vénus (symbolisant la vie amoureuse), Junon (la vie active) et Pallas (la vie contemplative). Pallas est, d'un point de vue spatial, la plus élevée de la triade ; elle est également située à l'extrémité de la ligne de vision du poète. Grâce aux artifices de l'art optique on peut interpréter la scène, qui intervient à la fin de l'ouvrage, au moment où Pallas oppose les arguments de la raison aux plaisirs charnels, comme signifiant que le poète la regarde en définitive comme le seul objet idéal, mais en même temps il regarde Vénus dont il avait, plus tôt dans le poème, choisi la voie sensuelle, transperçant en un certain sens sa réalité nue pour atteindre un idéal vêtu. Ce réseau de lignes de vision et de quadrillages du désir prouve à quel point l'image du jardin était, pour se conformer à un régime rigoureux de contrôle et de domination, aussi fortement structurée et construite que les corps qui s'y trouvaient.

LA FONTAINE DE JOUVENCE

L'eau qui tombe en cascade sur les courbes et les contours de la chair lisse et ruisselante est une manière d'objectiver érotiquement les corps, encore utilisée de nos jours. Toutefois, le corps mouillé avait un potentiel encore plus profondément érotique au Moyen Âge lorsque la théorie des quatre humeurs principales – le sang, la bile jaune, le flegme et la bile noire – associées aux quatre éléments signifiait que chaque corps humain fluait et refluait littéralement du flux du désir, se transformant au gré des marées et des planètes en

67. *La Fontaine de Jouvence*. Panneau de coffret,
Paris, vers 1320. Ivoire, dimensions totales du coffret :
21,2 x 12,7 x 7,3 cm. Londres, British Museum.

orbite. La pratique médicale était fondée sur ce système et, pour de nombreux médecins, l'amour devait être traité non pas en tant qu'état psychologique mais comme une maladie physique. Depuis Galien, les médecins avaient enseigné que les hommes avaient une nature chaude et sèche, alors que les femmes étaient froides et humides. Bien que l'élément de l'amour ne soit pas l'eau mais le feu, l'opposition de l'eau et du feu était un moyen supplémentaire de séparer et d'opposer les corps masculin et féminin. Dans le *Roman de la Rose*, la fontaine qui se trouve au centre du verger de Déduit n'est pas seulement celle dans laquelle Narcisse s'observe jusqu'à en mourir, mais également celle où l'amant aperçoit deux cristaux qu'il assimile aux yeux de Rose, sa bien-aimée. Le cristal de roche, très utilisé pour les bijoux médiévaux, était, croyait-on, une sorte de glace éternelle, de l'eau solidifiée dotée d'un pouvoir magique. Le liquide nourricier se trouve toujours dans le *locus amoenus*, «la source de l'eau courante», mais la fontaine la plus populaire de l'art médiéval – souvent représentée sur des objets de luxe comme sur des peintures murales et des tapisseries – était une variation sur ce thème

où l'eau, source de vie, rajeunissait l'enveloppe charnelle de l'amour défaillant : la fontaine de Jouvence. Parfois appelée fontaine d'Amour, elle est également mentionnée dans le *Roman d'Alexandre* et dans des récits d'inspiration antique, où elle apparaît en tant que site géographique réel, que les voyageurs en direction de l'Orient pouvaient découvrir en même temps que l'Éden et d'autres lointaines Merveilles du monde.

Sur la face antérieure d'un coffret appartenant à un groupe de superbes coffrets en ivoire exécutés à Paris au début du XIVe siècle, un vieillard chancelant porte sur ses épaules sa frêle épouse toute ratatinée vers les eaux magiques (ill. 67) : ce sont les «desséchés». La popularité de la fontaine de Jouvence s'inscrit dans la mouvance des attitudes médiévales à l'égard du vieillissement, considéré par les médecins comme l'inévitable dessèchement. On assiste à une dessiccation du corps qui, peu à peu, perd son humidité et meurt. Les jeunes gens nubiles de la plaque suivante, que l'on voit s'éclabousser sous les gargouilles de la fontaine de Jouvence, représentent ce même couple âgé métamorphosé par les chairs ivoirines et lisses de leur jeunesse retrouvée. Non loin de ces scènes, on voit Aristote, d'abord dans son propre rôle d'enseignant âgé, puis chevauché par la jeune Phyllis dont il s'était épris. Ces deux évocations du renversement de la vieillesse froide et sèche par la jeunesse qui coule de tous ses sucs chauds apparaissent sur le devant du coffret ; elles s'accompagnent, sur le couvercle, d'une représentation du tournoi et du siège du château de l'Amour que nous avons déjà évoqué (voir ill. 25). Il ne faut pas oublier qu'André Le Chapelain prétendait déjà que la vieillesse faisait obstacle à l'amour «car passé soixante ans pour un homme, cinquante pour une femme, bien que les rapports amoureux soient encore possibles, les plaisirs qu'ils procurent ne peuvent engendrer l'amour». En recherchant la fontaine

68. *La Fontaine de Jouvence*. Tapisserie, Strasbourg,
vers 1430. Colmar, musée d'Unterlinden.

de Jouvence, ces hommes et ces femmes ne cherchent pas la vie éternelle, mais l'amour éternel.

Sur l'ivoire parisien, l'instant de la transformation miraculeuse de la chair n'est pas montré, nous ne voyons que des vieillards rabougris qui s'approchent de la fontaine et des jeunes qui s'y trouvent. En revanche, des versions plus tardives du sujet montrent des vieux plonger directement dans les eaux miraculeuses. Dans une tapisserie tissée à Strasbourg, la fontaine n'est pas figurée au centre d'un jardin clos, mais à l'intérieur de sa propre enceinte et c'est à l'extérieur, dans le jardin, que les fleurs et les feuilles du printemps flétrissent et se fanent dans l'hiver du monde (ill. 68). Se diriger vers le centre de ce jardin symbolise donc un retour à une sorte d'Éden éternel. Des vieillards clopinant portent leurs vieilles épouses dans des paniers ou les poussent, en bas et à gauche, dans une brouette vers le portail de l'enclos, une allusion à

l'éternelle plaisanterie relative au désir des vieux d'avoir une jeune épouse. Un couple d'amants à moitié nu se caresse au beau milieu de la fontaine dont émerge à droite une femme souple et potelée, aidée par un jeune homme recouvert de feuilles et de fleurs printanières. En fait, la fontaine de Jouvence est surtout un fantasme masculin sur la perte de la virilité et ce, à une époque où la plupart des hommes épousaient à un âge plutôt tardif des jeunes femmes souvent encore adolescentes. Chaucer, dans l'un des *Contes de Canterbury* (après 1386), illustre bien, avec le personnage du vieillard Janvier, les deux grandes angoisses de l'époque : le danger d'avoir une épouse adultère et la hantise croissante de sa propre impuissance. Les inscriptions figurant sur les phylactères de cette tapisserie, toutes deux des paroles d'hommes, évoquent cette peur. « *Ich lob Dich Gott, ich alter Man, das ich den Brunnen gefunden hab* », dit le vieillard du haut de

69. Suiveur de Giacomo Jacquerio.
La Fontaine de Jouvence, vers 1411-1416. Fresque, 24 x 12 m (détail).
Piémont, Castello di Manta, grande salle.

ses béquilles avant de passer le portail : «Je loue le bon Dieu que moi, le vieil homme, ai trouvé la fontaine de Jouvence» ; plus haut, un noble et jeune chevalier blond, vêtu d'un costume recouvert de feuilles vertes qui flétriront dès l'hiver affirme : «*Sind wir gewesen die Alten, so ist unser Geld gar wohl behalten*» («Puisque nous deviendrons vieux, ainsi donc nous garderons notre or»). À l'extrémité droite de ce phylactère, un autre jeune couple est attablé et festoie. C'est aussi bien aux jeunes qu'aux vieux que s'adresse cette tapisserie qui, avec son invitation à profiter de la vie tant que l'on peut le faire, a dû être témoin de nombreuses fêtes. Ironiquement, c'est aussi le temps qui a altéré le tracé des traits des visages qui, vieux ou jeunes, devaient certainement sourire autrefois en barbotant dans les eaux rajeunissantes.

Inversant le temps plutôt que représentant sa fin, dans une sorte de parodie de la résurrection, la fontaine de Jouvence peinte à fresque sur un mur de la grande salle du Castello di Manta montre des figures qui ôtent leurs lourds vêtements pour plonger et retrouver une chair sensuelle (ill. 69). Ses pinacles gothiques d'aspect pseudo-ecclésiastique suggèrent les rites d'un second baptême. Le dieu de l'Amour qui couronne la structure est une statue. À gauche, les vieux et les infirmes de toutes conditions, des rois, des cardinaux et des paysans, arrivent devant la fontaine, tandis que le centre de la fresque est prétexte pour le peintre à

une démonstration de virtuosité dans la représentation des nus dans des attitudes à la fois comiques et complexes. Au deuxième niveau de la structure un homme qui a recouvré sa virilité tapote une jeune fille sous le menton tandis que ceux qui ont retrouvé les chairs roses de la jeunesse se grisent d'étreintes et de baisers et se vêtent à la pointe de la mode. À la différence des cultures modernes de la jeunesse, comme celle qui encouragea l'amour libre dans les années 1960, les enfants-fleur des cours du début du XVᵉ siècle faisaient partie de l'élite sociale et se livraient à des excès que seul rendait possibles leur pouvoir politique. En outre, à cette fresque érotisée de la fontaine de Jouvence fait face, sur le mur opposé, une série de figures en pied beaucoup plus sérieuses et politiquement signifiantes, représentant des hommes et des femmes illustres de l'Antiquité.

Les classes inférieures disposaient de fontaines de Jouvence dans les établissements de bains des cités médiévales telles Paris et Bruges, associés dans l'imagination populaire aux bordels. L'illustrateur d'un somptueux *Roman d'Alexandre* représenta dans l'une de ses centaines de scènes marginales plutôt piquantes une telle *estuve*, qui évoque moins les bains campagnards du mois de mai que les lucratifs bains citadins. À gauche, un couple nu est sur le point d'entrer dans une petite cabane et s'étreint, à droite, dans un baquet (ill. 70). Privées de l'étiquette élégante des scènes

70. La fontaine urbaine du désir : le bordel, *Roman d'Alexandre*, Bruges, 1344, sous la direction de Jean de Grise. Oxford, Bodleian Library, MS. Bodley 264, fol. 75 r°.

traditionnelles d'amour, ces figures illustrent la souplesse et la gaucherie du quotidien. L'homme protège timidement ses parties génitales, à moins qu'il ne dissimule ce que saint Augustin décrivit comme son membre rebelle, tandis que la femme, dévêtue, court vers la cabane. Une servante portant deux seaux d'eau chaude se dirige péniblement vers le baquet garni de rideaux, ajoutant à la scène une touche de banalité, voire une descente du sublime au terre à terre car, à la différence de la fontaine de Jouvence, cette eau n'est pas de nature magique, mais issue de mains humaines.

C'est dans les manuscrits exécutés pour l'empereur Wenceslas IV de Bohême – dont les bibles, les traités d'astrologie et même de politique sont truffés de beautés *hydrothérapiques* et *balnéothérapiques* portant des seaux et des fagots de brindilles feuillues, ainsi que des lacs d'amour en soie bleue – que se trouve l'iconographie la plus célèbre de la fille des bains prostituée. Dessiné dans les marges de la *Bulle d'or impériale* (vers 1390), le lacs d'amour dans lequel est pris, entre cinq beautés au bain, le vieux souverain barbu, est aussi la première lettre de son propre nom (ill. 71). On a mis en rapport la fille des bains à qui il tend sa main avec une légende concernant le jeune roi qui aurait été sauvé de ses ennemis par une fille des bains. Toutefois, comme des chercheurs tchèques l'ont récemment démontré, l'iconographie balnéothérapique de ces manuscrits ne représente pas des fantasmes royaux ni des légendes mais plutôt des réalités royales et les espoirs du roi d'avoir un héritier. La cour de Prague, obsédée par l'astrologie, avait les yeux fixés sur la planète Vénus, personnifiée par la fille des bains et la promesse de fertilité des brindilles feuillues. Tous les espoirs de donner un héritier au trône reposaient sur Sophie de Bavière, la jeune femme que Wenceslas épousa en 1389, mais qui resta stérile au long des vingt ans que dura leur union. Sous le couvert de jeux érotiques courtois, c'est une ardente supplique de puissance sexuelle qui est donc présentée, suggérée ici par la jeune fille à gauche qui, en montrant ses seins ronds, évoque la mère et la nourrice plutôt que la concubine.

Certaines enluminures de manuscrits du XVe siècle, souvent des illustrations de textes historiques ou littéraires, montrent des hommes et des femmes prenant un bain ensemble et parfois même déjeunant sur une table dressée dans la baignoire ou le baquet. On retrouve cette association de la nourriture et du sexe, ou de ce que les prédicateurs auraient qualifié de péchés de gourmandise et de luxure, dans *Les Enfants des planètes*, une série de dessins endiablés représentant notamment ceux qui étaient soumis à l'influence de Vénus (ill. 72). Comme dans le codex

71. L'empereur Wenceslas IV pris dans des lacs d'amour entouré de filles des bains, *Bulle d'or impériale*, Prague, vers 1390. Vienne, Österreichische Nationalbibliothek, Cod. 338, fol. 1 r°.

72. *Les Enfants de Vénus*. Dessin à la plume et couleurs, *Les Enfants des planètes*, Allemagne, vers 1500. Tübingen Universitätsbibliothek, MS. Md. 2, fol. 270 r°.

médiévaux, la personnalité de chacun et son aptitude à aimer étaient soumises aux planètes. Parmi ceux que l'on croyait gouvernés par Vénus, il y avait les tailleurs et les bateleurs en tous genres, mais également les amants, symbolisés ici par un couple qui dîne dans une immense baignoire. Vénus était considérée comme une planète féminine, contrôlant à la fois la chaleur et l'humidité, la menstruation et le désir sexuel des femmes majoritaires dans ce dessin allemand. On remarque aussi différents groupes sociaux : au premier plan, des courtisans richement vêtus dansent, tandis qu'au second des tisserandes sont au travail. Riches ou pauvres, explique le texte, les enfants de Vénus sont heureux sur Terre. Dodus, le visage rond, ils aiment la musique et sont portés à l'impudeur. Toutefois, ils sont tous prisonniers de leurs désirs charnels. Ici, ce ne sont pas seulement les légendaires amants mâles du passé qui sont à la merci de la déesse, mais des hommes et des femmes de tous les milieux, des aristocrates mais aussi des personnes de toutes conditions. L'influence des étoiles ne faisait pas de l'amour une simple question de fatalité cruelle, incontrôlable par ceux, heureux ou malheureux, qui se trouvaient sous l'autorité de Vénus, elle mettait aussi sur un pied d'égalité des personnes qui autrement se seraient trouvées à des degrés différents de l'échelle sociale. La rougeur du sang chaud qui envahit l'ensemble de ce dessin est le repère pictural le plus convaincant de la débauche sexuelle, visible sur les visages de tous les enfants rougeâtres de Vénus.

LE CHÂTEAU ASSIÉGÉ

Bien que le poète désirât ardemment devenir l'esclave de sa bien-aimée et être pris dans les chaînes de l'amour, c'est en réalité la dame qui était spatialement et physiquement confinée et sujette. Dans les poèmes

Manesse allemand, plus ancien (voir ill. 26), la déesse nue porte une torche pour emblème et régit sa sphère céleste et ses symboles depuis la même position cosmologique que sur le plateau de naissance italien (voir ill. 23). Le miroir qu'elle tient dans l'autre main est également un symbole sexuel fort : associé aux femmes comme attribut de *luxuria*, il était aussi associé à leur tempérament froid et humide, qui les poussait au désir ardent. L'astrologie parvenait alors à gouverner tous les aspects de la vie quotidienne : la médecine et la politique étaient influencées par les étoiles, mais le parcours de l'amour aussi. En termes psychologiques comme dans les images, elle apparaît souvent enfermée, non pas dans un jardin mais au sommet d'une tour ou d'un château qui symbolise à la fois la supériorité et le pouvoir imaginaires qui sont les siens en même temps que la position isolée et limitée qu'elle occupait en réalité. Les femmes réelles, comme les châteaux réels, étaient entourées de hauts murs (d'interdictions) de profondes douves (de jalousie maritale) et de gardes armées (des dames d'honneur). Un chevalier pouvait assiéger la dame et tenter de la prendre de force à peu près de la même façon qu'il aurait pu s'attaquer à un château. De telles allusions au viol se dissimulent derrière un sujet badin de l'art gothique connu sous le nom de *Siège du château de l'Amour*, qui apparaît dans les marges du psautier de Peterborough (ill. 73). On y voit des chevaliers en cotte de mailles, dont le siège des créneaux est facilement

73. *Le Siège du château de l'Amour*, psautier de Peterborough, Angleterre, vers 1300. Bruxelles, Bibliothèque royale Albert Ier KBR, MS. 9961, 9962, fol. 91 v°.

repoussé par des dames. Le contraste entre leurs énormes épées et les petites fleurs qui mettent les chevaliers en déroute devait forcément avoir de fortes connotations sexuelles. Un chant des *Carmina Burana* raconté du point de vue d'une jeune fille violentée relate plaintivement comment, sous un tilleul, «il jeta de côté ma belle robe avec corps découvert, / Et envahit précipitamment ma forteresse avec désir dressé». Ici, la rose n'est pas cueillie ; c'est, au contraire, une arme contre l'agression sexuelle masculine, exactement comme dans certaines représentations officielles où cette scène allégorique était réellement interprétée à l'occasion de cérémonies spécifiques, dont on a une première attestation en 1214 pour une fête donnée à Trévise. On en trouve à nouveau mention en 1385 lors des festivités du mariage de Charles VI et Isabeau de Bavière : un tableau vivant du sujet fut promené à travers les rues de Paris. Toutefois, l'exemple du psautier de Peterborough n'était pas destiné à être vu des courtisans ; il fut en effet exécuté pour un riche abbé qui établissait peut-être un parallèle entre cette conquête de la violence phallique par les fleurs de la virginité et son propre confinement à l'écart de la violence du monde.

Un étui-pendentif orné d'émaux translucides, qui pouvait être suspendu à la ceinture par deux anneaux, montre une dame qui, du haut de sa tour inviolable, ne repousse pas un chevalier mais lui passe ses armes (ill. 74). À l'époque gothique, le chevalier armé par sa dame était un élément incontournable du vocabulaire iconographique de l'amour : il apparaît dans le codex Manesse mais aussi dans des contextes plus historiques. Une chronique contemporaine décrit comment, lors d'un tournoi qui se déroula à Lincoln dans les années 1320, un chevalier appelé William Marmion reçut un heaume de sa dame, qui lui ordonna d'aller le montrer dans le lieu le plus dangereux du pays ; il partit donc témérairement se battre contre les Écossais à Norham Castle, à l'époque assiégé, et faillit se faire tuer. Protéger les faibles femmes mais en même temps s'humilier devant elles était l'un des fondements de l'ethos chevaleresque. Sur le revers de l'objet, un chevalier est figuré en train de transpercer d'un coup de lance un homme sauvage, tandis qu'un autre homme sauvage gît sur le fond de l'étui rectangulaire, suggérant une opposition entre les désirs noble et vil. On trouve même une suggestion pseudo-religieuse dans l'inscription : « *Ave Maria Gratia pl[ena]* » (« Je vous salue, Marie, pleine de grâce »), la salutation de l'ange. S'il s'agit d'un petit étui à bijou, voire d'un étui pour une amulette destinée à protéger le guerrier sur le champ de bataille, le fait qu'il ait été offert par une femme reproduirait alors l'image figurée sur la face, la dame conférant au chevalier sa

74. Le chevalier armé par sa dame depuis une tour. Étui-pendentif, Angleterre, vers 1325-1340. Argent doré et émaux translucides, 5,1 x 5,3 cm. Londres, Victoria and Albert Museum.

virilité. En effet, elle tient pratiquement par son extrémité pointue l'arme virile du mâle, la longue lance. En revanche, s'il s'agit d'un gage d'amour offert par un chevalier à sa dame, il aurait plutôt fonctionné comme une confirmation de sa position : protecteur de son corps, mais également celui qui le pénètre. Cet objet aux facettes multiples a donc une signification profondément différente en fonction de celui ou de celle qui le porte.

Ceux qui pourraient penser que ce raisonnement pousse trop loin l'interprétation « phallique » d'objets telles des tours, des lances et des portes de châteaux, n'ont qu'à regarder les marges d'un *Roman de la Rose* conservé à Paris (ill. 75) pour voir une manifestation médiévale d'idées que, de nos jours, nous qualifierions de « freudiennes ». Ici, à gauche, une nonne tire un moine par une corde attachée à ses parties génitales alors qu'en face elle est

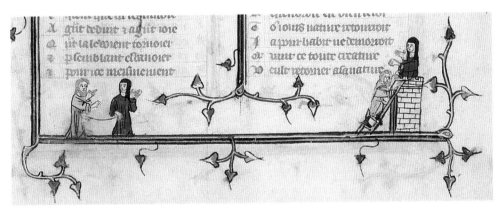

75. Jeanne de Montbaston.
Une nonne tire un moine par son pénis ; il grimpe à une tour, *Roman de la Rose*, Paris, vers 1345. Paris, Bibliothèque nationale, MS. fr. 2446, fol. 106 r°.

76. Cheminée en pierre ornée de couples d'amants,
Le Mans, fin du XVᵉ siècle. Paris,
musée national du Moyen Âge - Thermes de Cluny.

même nonne en train de cueillir des phallus sur un arbre rempli de fruits délicieux, témoignent du fantasme du pouvoir des femmes sur le désir masculin. Il est remarquable de constater que ces enluminures fougueuses sont l'œuvre de Jeanne de Montbaston, une enlumineuse bien connue qui exécuta ce manuscrit avec son mari, le libraire Richart, avant qu'il ne meure de la peste en 1348. C'est une illustration merveilleusement spirituelle d'un passage du *Roman de la Rose* écrit par Jean de Meung, une allégorie de la lutte entre les sexes plutôt qu'une célébration de l'amour. Ces deux scènes se trouvent dans la marge inférieure du passage du poème où la Vieille discourt sur le penchant naturel de l'homme pour la luxure et affirme : « L'homme qui entre en religion : il arrive après qu'il s'en repente. » Cette section contient également les arguments les plus « féministes » du poème. La Vieille compare la situation de la femme à celle d'un oiseau en cage qui rêve de retrouver les bois : « Ainsi toutes les femmes, dames ou demoiselles, de quelque condition que ce soit, sont portées naturellement à chercher par quels chemins elles pourraient se rendre libres. » Jeanne a pu se permettre de tourner le pénis en dérision en raison de sa double condition de femme et d'artiste ; en effet, à l'époque, une partie du langage de l'amour, tant verbal que visuel, consistait en son inversion parodique et comique.

La plupart des femmes, à l'instar de Jeanne, régentaient non pas un château mais une maison, une sphère domestique sur laquelle elles avaient la haute main. Si la femme du XXᵉ siècle a pu se plaindre d'être esclave de ses fourneaux, la femme médiévale aurait pu se plaindre d'être enchaînée à sa cheminée. En effet, imprégnée de symbolisme générateur féminin, la cheminée, source de chaleur, qui permettait en outre la cuisson, était souvent identifiée à la maison, dont elle était « les entrailles ». Le manteau d'une cheminée

l'objet inaccessible de l'ardeur du même moine qui grimpe sur une tour pour tenter de l'atteindre. Dans certaines régions de France, être conduit par ses parties génitales était une humiliation publique infligée aux adultères, alors qu'ici on rit de l'homme, esclave de l'objet de son désir. Dans la scène en face, il est de nouveau figuré, en train de monter à une échelle contre une tour pour atteindre la nonne, la dame inaccessible qui passera à l'acte sexuel dans une autre marge du manuscrit. Ici, l'échelle évoque le *gradus amoris*, c'est-à-dire les cinq étapes de la conquête progressive du corps de la femme par l'amant, ainsi que le siège traditionnel de son château. Dans ce manuscrit, toute une série de scènes de bas de page, qui montrent la en pierre provenant d'une maison à colombages (démolie en 1843) d'un bourgeois du Mans est orné d'une frise de cinq couples courtois qui échangent des cadeaux. Au centre, un homme et une femme se tiennent de part et d'autre d'un arbre, non pas comme Adam et Ève ni comme Tristan et Iseult, mais en tant qu'unité familiale, en tant qu'époux, de part et d'autre de leur blason, suspendu aux branches d'un arbre dont les racines descendent dans le feu générateur au-dessous. C'est leur arbre familial, symbole de leur pouvoir (ill. 76). La cheminée était à la fois le centre symbolique de l'unité domestique de la famille et sa place forte. Il en existe des exemples provenant de maisons médiévales plus cossues et qui ont subsisté ; ils sont souvent crénelés comme des châteaux et sculptés d'une iconographie de l'amour, suggérant l'importance de la propriété communautaire dans le mariage. Cet exemple montre de nouveau le même couple servant de consoles à la cheminée et il est intéressant de noter que, dans le domaine qu'elle régente, l'épouse occupe la position supérieure droite.

Qu'il s'agisse de la cheminée de la maison ou de la tour du château dans laquelle le mari jaloux de tant de romans emmurait sa dame, la tour ou le donjon qui enfermaient la femme symbolisaient son corps. Vers la fin de la suite qu'il donna au *Roman de la Rose*, Jean de Meung évoque simultanément l'Amant qui s'apprête enfin à cueillir sa Rose et Vénus qui s'attaque à la tour de Honte, décochant sa flèche en direction d'une meurtrière insérée entre deux colonnes, la châsse qui enferme une demoiselle d'argent, décrite comme l'idole de l'amour. L'une des raisons de la popularité de l'allégorie à cette époque réside dans son aptitude à dissimuler des réalités importunes. Certaines miniatures illustrent cet épisode du récit montrent la déesse décochant sa flèche entre deux colonnes, un moyen allégorique de représenter les jambes de la

77. Vénus décoche sa flèche à l'idole dans la tour, *Roman de la Rose*, Paris, vers 1420. Malibu, The J. Paul Getty Museum, MS. 83. mr.177 (MS. Ludwig XV.7), fol. 129 v°.

dame. Mais l'enlumineur d'un autre manuscrit voulut être plus littéral et montrer plus clairement ce qui se cache derrière l'allégorie. Ici, la flèche de Vénus n'est pas celle de Cupidon, son fils, qui incarne le regard qui n'ose pas toucher, mais représente un assaut beaucoup plus physique (ill. 77).

Un manuscrit plus tardif du *Roman de la Rose* donne de la métaphore du corps de la dame en tant qu'édifice une interprétation plus monumentale, bien que fort allusive (ill. 78). Dans cette grande miniature, les murs crénelés semblent se projeter hors de l'image jusqu'au spectateur lui-même, et les nombreux niveaux de réflexions aquatiques des douves renvoient l'image des roses blanches en fleur symbolisant la virginité et

78. Le château de Jalousie, *Roman de la Rose*, Bruges,
vers 1490. Londres, British Library, MS. Harley 4425, fol. 39.

des créneaux labyrinthiques aussi durs que la froideur
de la dame. Danger, la personnification mâle, monte
la garde devant l'entrée du château, tandis que l'objet
du désir, la Rose dans une guimpe blanche, apparaît
au-dessus gardée par toute une armée miniaturisée.
Seul, en dehors de l'espace clos, le rêveur/amant est
figuré dans l'angle supérieur gauche de la scène. Le
peintre a dissocié le point de vue de l'amant (à l'intérieur du poème) du nôtre (les lecteurs, restés à l'extérieur). Notre perspective visuelle passe par l'axe unique
du visage agrandi de Danger qui nous regarde fixement au premier plan jusqu'à la Rose, qui n'a jamais
été plus éloquemment représentée en tant que point
focal du désir, la seule cible, le seul but de l'amant.

Il est fascinant de comparer cette superbe allégorie des défenses du corps avec l'architecture réelle de
l'époque, comme celle du palais du Louvre achevé par
Charles V (1364-1380), qui présentait une configura-
tion semblable avec un donjon central entouré de différents niveaux de courtines. En effet, les allégories
ne peuvent fonctionner que si elles s'accordent aux
formes et aux attentes de la réalité. Des allégories archi-
tecturales érotiques plus tardives apparaissent dans
un célèbre manuscrit allemand connu sous le nom
de *Livre de Raison*. Outre des recettes d'aphrodisiaques,
cet ouvrage contient quarante dessins à la plume de
machines de guerre, une série représentant *Les Enfants
des planètes* et une grande composition figurant un
bordel/établissement de bains, un château de l'Amour
très insolite (ill. 79). Se déployant sur une double page,
cette composition a été qualifiée de « château de
l'Amour mal défendu » car, hormis quelques femmes
postées à leur fenêtre pour inviter les hommes à monter, la plupart des autres errent en dehors de l'enceinte
protectrice. Cette vision a sans doute été, pour le public
contemporain, un spectacle choquant, un exemple de
ce qui se passe lorsque les femmes sont libérées des
liens étroits de l'autorité maritale et de leur confinement dans les chambres intérieures des châteaux.
Comme s'il avait voulu suggérer cette liberté poten-
tielle, le talentueux dessinateur du XVe siècle a figuré
cette scène d'accouplement chaotique dans un espace
profond, à trois dimensions, où des couples se
pavanent avec une élégance délicate et fantasque, bien
que parfois un peu gauche. Les femmes ne défendent
pas leur château, elles sont sorties dans la cour pour
attirer les hommes à l'intérieur. Pris dans un piège à
animaux, un paysan, réduit à l'impuissance, est pendu
par les pieds à un arbre, tandis qu'au premier plan de
jeunes nobles sont, à leur tour, attrapés. Près du puits,
une jeune fille tente d'attirer l'attention d'un jeune
homme aux chausses tombantes qui est en train de
nourrir des oies. Le château n'est pas montré, comme
le grand château du *Roman de la Rose* de Harley (ill. 78),

79. Le château de l'Amour mal défendu, *Livre de Raison,* Rhénanie, vers 1475-1485.
Wolfegg, Fürstlich Leinningensche Sammlungen Heimatmuseum, fol. 23 v°-24 r°.

depuis ses douves d'entrée mais figuré depuis les cours des communs, les cuisines, tous ces quartiers dits «inférieurs» peuplés de croupes de chevaux et de palefreniers. Ici, les femelles rapaces qui aguichent les domestiques comme les nobles bien vêtus pour les faire sortir de leur position et de leurs devoirs respectifs font de cette illustration une comédie qui fait frémir, surtout lorsque l'on sait que le reste du *Livre de Raison* est de nature pédagogique. La question de savoir quel usage a pu faire Frédéric III (1493) – un empereur-guerrier notoirement indécis, commanditaire de ce traité insolite – de ces images insaisissables et parodiques de l'amour côtoyant des schémas d'engins de siège n'est toujours pas élucidée ; tout ce que l'on peut dire c'est que, dans l'imagination médiévale, l'art de l'amour n'est jamais très éloigné de l'art de la guerre. Ce qui rend cette image à la fois si drôle et si troublante, c'est que son humour repose sur le fait qu'elle représente l'impossible. Imaginer que des

femmes nobles aient pu un jour avoir, comme nous le voyons ici, un corps souple et libéré et s'évader de l'enceinte du château pour s'en aller chercher l'amour, relève de la pure fantaisie. Et si une telle liberté était, sans doute, le fantasme de nombreuses femmes de l'époque, nous sommes ici face au fantasme érotique de l'artiste mâle et de son public. À la fin du Moyen Âge, les symboles traditionnels qui, autrefois, apportaient tant de sécurité – le jardin, la fontaine et le château – sont ici bouleversés, voire mis sens dessus dessous. Le jardin du printemps devient une branche hivernale d'où pend, les pieds en l'air, un jeune sot, la fontaine se transforme en un puits de lubricité d'où appelle une fille de joie et, ce qui est le plus pervers, le château de l'Amour lui-même, édifice qui aurait dû présenter à la pénétration frontale un portail parfaitement proportionné, se révèle être, comme le cul de la jeune fille empoigné par le jeune homme à l'extrême gauche, le derrière de l'amour.

80. *L'Offrande du cœur*. Tapisserie, Arras (?), vers 1400-1410.
Paris, musée du Louvre.

CHAPITRE QUATRE

LES SIGNES DE L'AMOUR

On voit parfois en effet des faucons de petite taille prendre, grâce à leur courage, des grands faisans
et des perdrix, et il arrive souvent qu'un sanglier soit tenu en arrêt par un petit chien.
D'autre part, on voit bien des gerfauts et des aigles de mer effrayés par les moineaux les plus communs et
souvent mis en fuite par un busard. Si donc un milan ou une buse se montre intrépide et courageux et
différent de ses parents, il mérite d'être honoré comme le rejeton d'un faucon
ou d'un épervier et d'être porté sur la main gauche d'un chevalier.

André Le Chapelain

C'est un roturier qui, dans le traité d'André Le Chapelain, développe ce raisonnement pour revendiquer le droit de faire la cour à une dame d'une condition supérieure à la sienne, faisant appel, pour étayer sa cause, à des comparaisons animales et ornithologiques. De même que tout oiseau peut faire preuve du courage du faucon – l'oiseau noble utilisé dans le sport exclusivement aristocratique de la fauconnerie –, tout homme peut trouver en lui la noblesse qui lui permettra d'aimer plus haut que sa condition. Ces symboles ne sont pas fortuits : ils appartiennent au langage littéraire et plastique de l'amour. Si l'oiseau de proie symbolise les aspirations les plus nobles de l'amant, ceux « qui souhaitent prendre leur plaisir avec toutes les femmes qu'ils voient » sont semblables à « un chien sans pudeur », étrangers à « la véritable nature, qui, en nous dotant de raison, nous différencie de tous les animaux ». *L'Offrande du cœur*, une tapisserie merveilleusement conservée, montre un couple d'amants dans l'habituel *locus amoenus* fleuri, un ruisseau coulant en son centre (ill. 80). On y retrouve tous les symboles de l'amour dont il sera question dans ce chapitre : des animaux tels que le faucon, le chien et le lapin, mais aussi les diverses fleurs et l'image fondamentale du cœur. C'est la dame, assise par terre, qui porte à son poing gauche le magnifique faucon, symbole de sa noblesse et de son rôle par les autres animaux du jardin, notamment le petit chien qui saute après la fleur de la dame. C'était la position à laquelle aspirait tout amant, et de petits animaux à fourrure tels les chiens et les écureuils (également considérés comme des animaux familiers) étaient des symboles de la sexualité masculine. D'autres allusions à des passions animales sont tissées dans la tapisserie sous la forme de trois lapins, dont le nom en vieux français est *con*, épelant littéralement le nom des organes sexuels féminins. L'ensemble des signes – zoologiques, biologiques, voire magiques – qui entoure ces deux amants est une façon d'expliciter ce qui ne peut être représenté, de figurer l'expérience de l'amour par un langage secret, métaphorique.

LA CHASSE

Dans l'art médiéval, hommes et femmes sont souvent représentés sous les traits de fauconniers et le faucon lui-même pourrait être une métaphore soit de l'amant, soit de la dame, voire de l'amour lui-même dans la poésie contemporaine. Lorsque la dame est figurée tenant un oiseau de proie, comme dans la tapisserie précédente, cela signifie habituellement (tout au moins dans le contexte de la fiction amoureuse) qu'elle tient son amant en son pouvoir. *A contrario*, le fait qu'un homme tienne le faucon ne signifie pas nécessairement qu'il maîtrise la situation amoureuse. L'une des pages les plus splendides du codex Manesse montre le poète Konrad von Altstetten tenant un faucon qui se nourrit sur sa main élégamment gantée d'un petit morceau de viande faisant partie du leurre (ill. 81). Qui se nourrit de qui ici, et qui est réellement maître de la situation ? L'oiseau symbolise certainement la dame dont les bras entourent la proie, tout en la nourrissant de ses baisers. Elle occupe dans cette image la position spatiale dominante mais,

81. Konrad von Altstetten, à la fois chasseur et gibier, codex Manesse, Zurich, vers 1300. Heidelberg Universitätsbibliothek, MS. Cod. pal. Germ. 848, fol. 249 v°.

de chasseresse dans les relations de ce couple. De l'autre main elle tient une fleur, signe de sa virginité et du don qu'elle pourrait faire à son amant. Son prétendant, de même condition sociale, se dirige vers elle d'un pas décidé, tenant un minuscule cœur comme un bonbon entre ses doigts. L'oiseau de proie tourne la tête pour observer le petit objet rouge. En dépit de certaines évocations violentes de faucons déchirant des lambeaux de chair humaine, ce symbolisme du cœur exprime le caractère spirituel de la cour de l'amant plutôt que son côté physique, car il offre cet aspect intangible et immatériel de lui-même, son amour. Le côté physique des relations de ce couple est évoqué

82. Un chevalier et une dame ; un couple qui s'étreint, côté du
« coffret Talbot », Flandres, vers 1400. Cuir incisé et moulé sur bois.
25,5 x 19 x 12,5 cm env. Londres, British Museum.

comme le faucon de Konrad, elle est, en réalité, l'objet d'une manipulation. La dame est aussi identifiée à un faucon dans le *Tristan* de Gottfried, qui décrit Iseult comme « formée de façon exquise de toutes parts [...] comme si l'amour l'avait formée pour être son propre faucon » de même qu'il décrit sa figure « libre et dressée comme celle d'un épervier ». Bien que le faucon soit un oiseau de proie, il a été dressé à la chasse par son maître. Le poète est ici représenté comme le chasseur et le chassé, orchestrant son propre engloutissement par le bel oiseau qui s'élève au-dessus de lui.

On trouve une utilisation plus directe de la métaphore du fauconnier sur le coffret dit « coffret Talbot », qui aurait appartenu à l'Anglais John Talbot, premier comte de Shrewsbury (1388-1453). L'un des côtés montre un fauconnier tendant à l'oiseau un morceau de viande pris dans une bourse accrochée à sa ceinture, tandis que la dame se tient à l'écart, mais sur l'autre elle s'est laissé piéger dans l'un des baisers les plus merveilleusement voluptueux de l'art du XIVe siècle (ill. 82). Un poème allemand du XIIe siècle prétend que « les femmes et les faucons sont facilement apprivoisés : si on les leurre de la bonne façon ils viennent rejoindre leur homme ». L'attention de la dame est attirée par le geste de l'homme tirant l'appât de sa bourse et, dans la scène suivante, elle est figurée « sous » son amant, telle une proie « prise au leurre », dans la même attitude que Konrad dans le codex Manesse. Ici, le faucon semble symboliser encore plus directement la façon dont le chasseur leurre la dame.

Une femme est figurée en fauconnier émérite sur un minuscule fermail en or et émail (ill. 83). Pour l'aristocratie, habituée à manipuler quotidiennement ces splendides oiseaux, cette scène pouvait être immédiatement identifiée au stade du dressage du faucon où l'oiseau apprend à rester sur le gant en cuir de son maître ou de sa maîtresse, à l'aide d'un *bechin* ou minuscule morceau de viande fraîche accroché au leurre posé sur le poing du fauconnier. On voit également sur ce fermail la longue corde, la «créance» ou «filière», qui retenait l'oiseau pendant son dressage. Dresser le faucon impliquait d'abord de faire accepter les humains par l'oiseau ; pour ce faire, on avait recours à un capuchon recouvrant les yeux de la bête afin de la calmer, puis on la laissait s'envoler pour chasser, quoique toujours attachée par la créance. Le dressage des oiseaux était long et difficile, le dresseur devant faire preuve d'une patience infinie mais aussi de beaucoup de sensibilité aux humeurs de l'oiseau.

83. Une dame et un faucon capturent le cœur de l'amant. Fermail, or et émail, France, vers 1400. Berlin, Kunstgewerbemuseum.

Il n'est donc pas étonnant que la fauconnerie soit devenue le langage symbolique dominant pour exprimer les relations entre les hommes et les femmes. Les épouses mécontentes se plaignaient de ce que leurs maris leur préféraient leurs faucons, mais en fait le langage – employé par les hommes comme par les femmes – par lequel ils apprenaient à exprimer leurs désirs était souvent fondé sur le divertissement agréable de la chasse.

Une aumônière brodée montrant le retour d'un amant à sa dame exprime avec subtilité les relations sensuelles existant entre le faucon et le fauconnier (ill. 84). Ce fragment de poche en velours avec des applications de lin est superbement brodé de fils de soie et d'argent doré aux points passé, de tige et fendu, rehaussé de paillettes et de cabochons. Le revers comporte une image plus classique d'un fauconnier, mais le devant illustre presque en «gros plan» les relations délicates entre l'animal que l'on dresse et sa maîtresse. Un capuchon sur l'épaule, l'amant, dont les bras d'une longueur extrême se déploient comme des ailes, est ici assimilé au noble oiseau qui doit s'habituer à être chaperonné, c'est-à-dire à avoir les yeux couverts afin de l'inciter au calme et à la relaxation. Revenant «à tire-d'aile» dans les bras de sa dame, ce jeune homme aux yeux de faucon regarde fixement sa maîtresse qui pose une main sur son épaule comme pour l'arrêter, tout en tenant la créance de l'autre. Cette analogie entre la dame et le fauconnier est explicitée dans un poème contemporain : «Le fauconnier sait fort bien comment le rappeler au leurre, vers lequel il se retourne à présent pour y prendre son plaisir.» La vue perçante était l'une des qualités fondamentales de l'oiseau, car il devait être capable de voir de fort loin sa proie, comme son maître ou sa maîtresse. Bien qu'il ne soit pas impensable qu'un homme ait pu porter une telle aumônière, la position féminine comme sujet, exceptionnellement directe et forte, tout comme la focalisation sur la dame fauconnier comme point d'attache de l'oiseau volage suggèrent qu'il s'agissait très certainement d'une aumônière de dame, exécutée par l'une des plus grandes brodeuses anonymes du XIVe siècle.

Le fait que le lapin ait été associé à la femme et le

84. Le retour du faucon. Aumônière brodée, France, vers 1320. Fils de soie et fils en argent doré sur velours, applications de lin, 21 x 20 cm. Lyon, musée historique des Tissus.

chien à l'homme est clairement illustré dans l'une des plus belles pages d'un chansonnier de la fin du XIIIᵉ siècle (ill. 85). Ici, un schéma visuel assez complexe introduit un motet pour trois voix de Pierre de la Croix, traitant des chagrins et des expectatives de l'amour, tout aussi complexe. La voix supérieure, le *triplum*, commence avec la phrase «S'amours» et montre un couple d'amants assis, chacun caressant son propre animal d'une main jusqu'à l'excitation, tout en effleurant son partenaire de l'autre. La dame caresse son lapin minaudier et la cuisse de son seigneur qui, de son côté, caresse son chiot et pose sa main gantée de blanc sur l'épaule de la dame. Débutant la ligne musicale plus basse, plus lente, connue sous le nom de *duplum*, qui était chantée en même temps que le *triplum*, la lettre *a* montre un amant assis, triste et esseulé. Son visage abattu contraste avec les mots chantés : «Au renouveau de la saison joyeuse, je dois commencer une chanson, car le véritable amour, que je désire servir, m'a donné des motifs de chanter. Il m'a pris dans son jeu doux et rieur et maintenant je ne peux penser à rien d'autre qu'elle [...].» À ses côtés, un oiseau chanteur symbolise peut-être sa voix plaintive et solitaire, comparée aux associations de quadrupèdes qui sont illustrées à gauche. Au-dessous, la lettrine *e* (colonne de droite) n'est pas illustrée, mais

85. Un amant avec son chien et une dame avec son lapin, *Chansonnier*, Paris, vers 1280. Montpellier, Bibliothèque universitaire de médecine, MS. H196, fol. 270 r°.

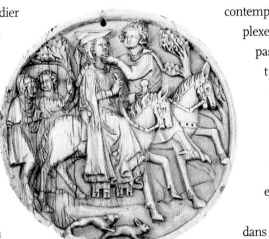

86. Le départ des amants pour la chasse. Boîtier de miroir, Paris, vers 1320. Ivoire, H. : 12,5 cm. Londres, Victoria and Albert Museum.

elle représente la troisième «voix» de ce chant à trois voix, le *tenor*, qui consiste en un mot latin répété, « *Ecce !* », « Voilà !», près de l'endroit où les chasseurs ont aperçu un cerf dans la scène merveilleusement dessinée du bas de page. Le musicologue médiéval Johanees de Grocheo prétendait que de tels motets ne pouvaient être appréciés du bas peuple et qu'ils étaient destinés «aux érudits» et «à ceux qui recherchent la subtilité dans les arts». Si écouter ce motet chanté en polyphonie constituait un défi, contempler cette représentation complexe des différentes strates de la passion amoureuse en constituait un autre. Et, puisque chaque voix chante des paroles différentes, la page présente une multiplicité de positions visuelles des sujets : l'amant et sa dame, l'amant esseulé et les chasseurs.

Sport favori de la noblesse dans l'Europe médiévale, la chasse offrait tout un ensemble de symboles susceptibles de structurer les rapports de force entre humains. On connaît même un poème médiéval, l'anonyme *Li Dis Dou Cerf Amoroeus*, où la dame, allégoriquement figurée en cerf, est poursuivie par des chiens personnifiés comme «pensées», «souvenirs» et «désirs». Dans un autre poème, datant de 1332, *L'Amoureuse prise* de Jean Acart de Hesdin, c'est le narrateur mâle qui est poursuivi par des beautés féminines personnifiées par des chiens nommés «plaisir», «volonté», «pensée» et «espoir» : l'amant peut être à la fois le chasseur et le gibier. La partie inférieure d'un boîtier de miroir figurant un jeune couple

87. Le chien messager, couvercle d'un coffret en ivoire, France, XIVᵉ siècle, sculpté de scènes du roman
La Châtelaine de Vergi, 22,6 x 10,8 x 9,7 cm env. Londres, British Museum.

qui part à la chasse (ill. 86) montre un chien qui s'est jeté sur un lapin. Dans le *Roman d'Enéas* (vers 1160), une version en ancien français de *L'Énéide* de Virgile, la mère de Lavinie tente de persuader sa fille qu'Énée n'est pas digne de son amour, puisque sodomite, affirmant qu'il méprise le *pel de conin*, c'est-à-dire la «fourrure de lapin». Ceci nous ramène au *Roman de la Rose* et à la description des «délicieux jeux de l'amour», où l'on peut «entendre dans les bois les chiens aboyer en chassant le lapin». La violence de cette métaphore est intéressante : comme sur le boîtier de miroir, le chien qui s'abat sur le *con* ne souhaite pas copuler avec lui, mais le tuer et le dévorer.

La présence d'animaux sert ici à déguiser ou à édulcorer l'acte sexuel, à le garder secret. Le chien est utilisé comme messager dans le déroulement d'une histoire d'amour adultère popularisée par le roman *La Châtelaine de Vergi*, sculptée ici sur le couvercle d'un coffret en ivoire (ill. 87). Nous avons déjà vu cette histoire se dérouler sur les murs de la chambre nup-

tiale du Palazzo Davanzati à Florence (voir ill. 63) ; ainsi miniaturisée, elle sert désormais à garder plus près de soi le secret d'un coffret. Dans le premier des huit quadrilobes, la dame assise, son petit chien sur les genoux, explique à son amant agenouillé le plan qui leur permettra de se rencontrer en secret ; dans le deuxième ils se serrent la main en convenant qu'elle lui enverra son petit chien lorsque la voie sera libre, comme elle le fait dans la troisième scène, au registre inférieur. Dans le quadrilobe suivant, le chien est le petit témoin poilu de leur rencontre, sautant sur le lit à côté du chevalier comme pour indiquer sa sympathie pour le jeune homme qui enlace sa dame.

Dans l'art de l'amour, les objets sur lesquels les animaux sont les plus présents sont ceux qui sont le plus liés au corps. Tout un bestiaire apparaît sur un fragment de la partie supérieure d'une chaussure de dame en cuir, découvert à Londres au XIXᵉ siècle mais qui est sans doute un travail français du début du XVᵉ (ill. 88). À gauche, une jeune fille s'apprête à frapper un chien, tandis qu'à droite un jeune homme tend un miroir à un singe : il s'agit d'images marginales du désir masculin et de la vanité féminine maîtrisés, qui s'opposent ici au couple d'amants assis sous un arbre dans le rondeau central. Il figure un homme plus âgé offrant à sa dame un petit objet circulaire. Alors que, de nos jours, la chaussure de dame est devenue un objet symbolique de fétichisme masculin, cette chaussure médiévale en cuir, avec ses images de châtiment d'animaux, présentait, en dehors de toute fascination érotique, un contenu moral discursif plus complexe. Elle était «lisible» par l'amant lorsqu'il s'agenouillait aux pieds de sa dame dans sa position subordonnée habituelle, mais elle pouvait aussi être vue par la femme qui la portait. La chaussure jouait ainsi un rôle régulateur des passions animales du soupirant, peut-être était-elle d'ailleurs le cadeau de l'un d'eux, puisqu'elle porte l'inscription «Amour merci je vous en prie».

Toutefois, l'anneau était encore plus lié au corps de la dame que sa chaussure. L'intérieur d'un grand anneau français en or du XVe siècle, dans lequel est serti un saphir, est incisé d'un écureuil, l'un de ces petits animaux de compagnie que l'on voit souvent

89. La dame à l'écureuil.
Anneau en or dans lequel est serti un saphir,
France, XVe siècle.
Londres, British Museum.

sur les genoux de la dame (ill. 89). Les images sont ici associées à des jeux de mots encore plus sophistiqués et allusifs dans deux inscriptions reliant l'amour à des exercices grammaticaux. À l'extérieur apparaissent les mots « *une fame nominative a fait de moy son datiff par la parole genitive en depit de l'accusatiff* » et à l'intérieur, à côté de la dame qui tient un écureuil en laisse d'une main et une poignée de glands de chêne de l'autre, on peut lire : « *tm [on] amour est infiniti[v]e ge veu estre son relatif* ». La première inscription signifie que l'anneau a été offert à une dame nommée, en dépit de son opposition : « Une dame nominative a fait de moi son datif par la parole génitive en dépit de l'accusatif ». L'inscription intérieure, plus secrète, «l'amour est infinitif pour son relatif», suggère qu'il s'agirait d'un spirituel anneau de mariage, dans la mesure où l'amant est devenu un «relatif» de la dame, heureux de figurer à l'intérieur de son cercle «sans fin», ou «infinitif». Il comporte encore plus de sous-entendus, car l'écureuil était souvent utilisé pour décrire, de façon euphémique, le pénis, comme

88. Un chien, un singe et un lion, et un amant offrant de l'argent à la dame. Fragment de chaussure de femme en cuir, France, vers 1400. Londres, British Museum.

90. Des amants sculptés en compagnie d'un chien, d'un
faucon et d'un cerf, *mandora* ou *chitarino*, Italie du Nord,
vers 1420. Palissandre, 36 cm. New York,
The Metropolitan Museum of Art.

dans le fabliau français *L'Esquiriel*, où Robin cherche
dans le «ventre» de sa bien-aimée des noisettes man-
gées la veille ; quand on lui demande d'expliquer à la
jeune fille à quoi correspond la protubérance dans ses
vêtements, il répond que c'est l'écureuil qui sort de
son trou. Le mâle est «à l'intérieur» de l'anneau, porté
contre la peau du doigt de la dame où l'écureuil en
laisse se délecte de son approvisionnement infini de
noisettes. La noix ou l'amande représentent également le secret, ou la vérité, contenu au cœur de chaque
chose. Le gros saphir serti dans l'anneau était, lui,
supposé «rendre un homme chaste» et «refroidir sa
chaleur intérieure», ce qui ajoute une autre dimen-
sion magique à cet anneau aux multiples facettes.

Fabriqué à Milan vers 1420, datant donc de la fin
du Moyen Âge, un instrument à cordes, petit cousin
de la guitare, appelé *mandora* ou *chitarino* (ill. 90),
est, lui aussi, très suggestif du point de vue des symboles animaliers. Il a été décrit comme le parfait cadeau
de noces pour une mariée. L'instrument en palissandre, sculpté en profondeur au revers, montre sous
un arbre une variation sur le thème du couple
d'amants. La dame est figurée à gauche, son petit
chien jappant à ses pieds. Ici, c'est le soupirant qui
tient un faucon d'une main et pose l'autre «là où se
trouve son argent», c'est-à-dire sur la bourse qui pend
à sa ceinture et sur son sexe, comme pour garantir sa
virilité future. Un petit Amour nu, perché dans l'arbre
au-dessus du couple, décoche une flèche vers la dame
tandis qu'un cerf surpris bondit en dessous. Vers le
haut de l'instrument, une figure à l'aspect sévère, ressemblant à un prophète sorti par hasard d'un retable
pour se retrouver, par erreur, sur un instrument de
musique, se tient debout, une main levée, un rouleau
dans l'autre. Il est évidemment là, au-dessus des
amants, pour une raison précise : sanctifier l'union
sculptée en dessous, ajoutant la bénédiction du Dieu

chrétien à celle du dieu de l'amour païen. Pouvons-nous sexuer cet objet ? Sur le devant du chevillier, une petite figure sculptée de femme assise joue d'un instrument d'une forme identique à celui-ci, suggérant l'emploi initial de cet objet. En montrant à nouveau le contrôle féminin s'exercer sur l'appétit sexuel masculin, les amants apparaissent sur son revers comme une réincarnation d'Adam et Ève dans le jardin d'Éden, mais ici la fille d'Ève tient littéralement le serpent entre ses mains et en «joue», car la tête courbée de l'instrument est sculptée de façon à représenter, lorsqu'elle est vue de profil, un dragon monstrueux.

Dans ce jardin zoologique de natures opposées et d'appétits bestiaux, il est important de ne pas considérer que ces symboles ont une signification unique. Si l'on se réfère au *Bestiaire d'amour* écrit par Richard de Fournival (1201-1260) – chancelier de la cathédrale Notre-Dame à Amiens, collectionneur de livres et chirurgien patenté –, sans doute l'œuvre littéraire la plus importante du Moyen Âge établissant des correspondances entre l'amour et les formes animales, il semble, en effet, que la signification de ces symboles pouvait différer en fonction du sexe du spectateur. Ce *Bestiaire d'amour* fait appel à des animaux tels le lion et le castor en tant qu'expressions de son propre désir. Des manuscrits de cette œuvre présentent des miniatures non seulement de différents animaux, mais aussi de Richard lui-même discutant avec sa dame, à l'aide de «paroles et peintures». Outre le chien, Richard fait appel au loup, à la vipère, au corbeau, à la belette et au crocodile pour décrire l'amour féminin. Développant l'association traditionnelle entre les yeux et l'amour, il compare celui-ci au corbeau qui extirpe le cerveau des hommes par leurs orbites. Sa formation de clerc l'incitait sans doute à considérer que les femmes détournaient les hommes du droit chemin. De fait, Richard ne désire la dame que dans

la mesure où elle accepte de jouer le rôle maternel de l'animal, pour le nourrir comme une mère. Mais Richard n'eut pas le dernier mot. Dans un texte qui fait suite au sien dans un certain nombre de manuscrits, on trouve une *Response* au *Bestiaire*, où la dame parvient à réfuter toutes ses métaphores en faisant appel aux mêmes animaux pour étayer les arguments inverses : «Bien que le corbeau saisisse l'homme par les yeux [...] bien que l'Amour prenne l'homme et la femme par les yeux, il ne s'ensuit pas de cela que le corbeau ressemble à l'Amour. Dites, plutôt, que l'on doit avec les yeux du cœur le comparer à la haine.» Elle rappelle à Richard que, lorsque le faucon descend brusquement, il «apporte la mort à sa victime». De même, elle voit dans la licorne endormie sur les genoux d'une vierge non pas l'image d'un homme pris aux leurres d'une femme mais un avertissement relatif aux artifices par lesquels de telles créatures peuvent s'introduire dans les affections des femmes par des paroles séduisantes. La dame ne savait que trop bien que l'auteur mâle utilisait l'association des mots et des images («dites et paintes») pour étayer son argumentation et que des clercs comme Richard se servaient de leur érudition pour «s'abattre sur des gens sans savoir». «Pour cette raison, ajoute-t-elle, je les nomme oiseaux de proie, et ferais bien d'être protégée contre eux.» Dans la *Response*, la femme est présentée comme la victime de la tyrannie, de l'agression et de la tromperie masculines. Cette œuvre littéraire, qui fut peut-être écrite par une dame érudite en réponse au texte de Richard, témoigne bien de la façon dont le symbolisme animal pouvait être réfuté par les personnes mêmes qui en étaient l'objet.

Le griffon, un animal fabuleux, puissant, qui n'est pas mentionné dans le *Bestiaire d'amour*, s'interpose entre l'amant et sa dame dans une superbe tapisserie suisse (ill. 91). Le jeune homme tient un phylactère

91. Le griffon protège la dame. Tapisserie, Bâle, vers 1460 (détail).
Dimensions totales : 105 x 148 cm. Berlin, Kunstgewerbemuseum.

sur lequel on peut lire «*schone frowe. begnodent mich mit Eurer Liece*» («Dame, donnez-moi votre amour»). Et la dame répond : «*Der Griffe betüttet. mir den list. dz. rehter liebe. nim uf erden ist*» («Le griffon me parle ici de tromperie car le véritable amour n'existe plus sur terre»). Le griffon, mi-aigle, mi-lion, était le symbole de l'impudeur et de l'infidélité. Il apparaît également sur des coffrets d'amour allemands contemporains en tant que garde et protecteur de leur contenu. Sur cette tapisserie, la bête défend le trésor du corps de la dame comme une sorte de chien monstrueusement surdimensionné, mais, en outre, elle s'interpose entre elle et celui qui aspire à être son amant. Les images étudiées dans ce livre idéalisent les rap-

ports humains afin de suggérer qu'il est aussi facile de dominer son amant que de tenir en laisse un chien de compagnie. Néanmoins, le griffon terrifiant de cette tapisserie nous donne peut-être un sentiment plus juste de la hantise de la violation sexuelle que devaient éprouver de nombreuses femmes au Moyen Âge. Cette dame, comme celle qui répond avec tant d'esprit à Richard de Fournival, sait bien que les hommes useront de tous les artifices dont ils disposent pour obtenir ce qu'ils veulent. Si la dynamique complexe du désir masculin puisait sa symbolique dans la beauté du faucon et l'utilisation aristocratique d'animaux vivants, c'était les animaux imaginaires, des bêtes fantastiques, tels la licorne et le griffon, qui apportaient aux femmes leur protection mais aussi une sorte d'aura sympathique. En fait, ce n'est pas parce que les femmes, comme l'ont avancé certains auteurs érudits de l'époque, devaient elles-mêmes être considérées comme des monstres difformes, c'est parce que, à l'instar de ces créatures étranges, belles et hybrides, elles étaient également trop souvent des objets de fantasme, issus de fantasmes masculins et par là même totalement imaginaires.

La rose

Dans le *Roman de la Rose*, après la description de la fontaine d'Amour au centre du jardin, dans laquelle le fier Narcisse se mira, le poète décrit comment «dans le miroir, entre mille autres objets, j'aperçus, dans un endroit écarté et clos d'une haie, des rosiers chargés de roses. J'en eus aussitôt si grande envie que je n'eusse laissé à aucun prix d'aller vers le massif le plus épais». Enivré par leur parfum, il choisit un bouton «si beau qu'à côté de lui je ne prisai nul des autres, après que je l'eus bien regardé». À ce stade du poème,

93. Le jeu de la rose et des amants qui jouent aux échecs, extrémité d'un coffret en bois peint, Constance, vers 1320. Zurich, Schweizerisches Landesmuseum.

l'amant ne peut atteindre la rose en raison des épines et des ronces qui l'entourent et il lui faudra attendre la fin du récit pour y parvenir ; une enluminure montre bien ce que représente la rose : non seulement l'amant contemplant la fleur de son désir, mais son incarnation en une belle jeune fille portant une couronne de fleurs (ill. 92).

Différentes variétés de fleurs apparaissent sur quasiment toutes les images de ce livre, soit comme des fonds de tapisserie, soit pour orner les bordures des pages manuscrites. Qu'elles soient sculptées dans la pierre des cathédrales ou qu'elles s'étalent avec exubérance sur les treillages entre les textes, on ne doit jamais considérer, dans l'art médiéval, les fleurs comme de simples éléments décoratifs. Sur l'une des extrémités d'un coffret en bois peint, qui comporte des scènes de chasse et de banquets sur ses autres faces, un seigneur et une dame sont figurés en train de jouer aux échecs (ill. 93). Le jeune homme, faucon au poing, regarde attentivement sa dame jouer la première. Tout à fait au centre de l'image se trouve l'un des clous utilisés pour l'assemblage du coffret, que

92. L'amant voudrait cueillir la rose, *Roman de la Rose*, Paris, vers 1380. Oxford, Bodleian Library, MS. e. Mus. 65, fol. 22 r°.

94. La dame cueille la rose, l'un de quatre fragments d'une tenture, *Figures dans une roseraie*, Pays-Bas du Sud, vers 1450-1455. Laine, soie et fils métalliques, 289 x 325 cm. New York, The Metropolitan Museum of Art.

95. La dame cueille des fruits-phallus sur un arbre. Coffret en bois, provenant
vraisemblablement de Bâle, début du XVe siècle. Villingen-Schwenningen,
Franziskanermuseum.

l'artiste a façonné en forme de fleur à six pétales. Recouvrant l'échiquier rouge et blanc, il indique clairement l'enjeu de cette partie. Le petit chien de la dame s'est déjà désintéressé de la situation et s'est endormi sous la fleur et l'échiquier.

Comparées à des objets aussi intimes et ludiques, on pourrait penser que les tapisseries représenteraient l'amour de façon plus formelle et banale. Des souverains tel Philippe le Hardi, duc de Bourgogne, ont dépensé beaucoup plus d'argent pour leurs tapisseries que pour leurs tableaux, car ces complexes objets tissés concouraient à la magnificence et à la splendeur princières des cours du XVe siècle. Toutefois, elles pouvaient également devenir des objets hautement personnels, qui accompagnaient d'ailleurs souvent leurs propriétaires d'un château à un autre. Portant non seulement les armoiries familiales mais aussi des devises d'amour plus personnelles, elles pouvaient recréer un printemps éternel pendant les nuits glacées d'hiver, leurs fonds «mille fleurs» entourant des lits, des boudoirs, voire les corps qui se déplaçaient contre elles et semblaient presque participer à ce monde tissé des chasses à la licorne et des fredaines dans les jardins. Une tenture de quatre tapisseries énigmatiques tissées au sud des Pays-Bas figure, dans une roseraie, des personnages presque grandeur nature. Au centre de l'une de ces tapisseries, une dame cueille une rose dans un buisson et la fait passer à travers le chapeau du jeune homme qui se tient devant elle, de sorte que la fleur semble nimbée de sombre (ill. 94). S'agit-il d'un jeu érotique, où les symboles de la couronne et du capuchon appartenant à une époque révolue auraient été remplacés par les velours volumineux de ces grands chapeaux et coiffures bourguignons ? Le récipiendaire de la rose semble ici plus heureux que le gentilhomme debout à droite qui serre la tige épineuse du buisson même où la dame a cueilli la fleur. Ce type de triangulation du désir, où une femme est placée entre deux hommes, est ici élaboré pour en faire une variation sur le thème traditionnel des deux facettes de l'amour : le plaisir et la souffrance.

Les fleurs ne symbolisent pas toujours le corps féminin. Sur l'extrémité courte d'un coffret allemand, une dame est sculptée en train de cueillir non pas des

96. Pierre Sala présente son cœur à une marguerite,
Emblesmes et devises d'amour, Lyon, vers 1500.
Londres, British Library, MS. Stowe 955, fols 5 v°-6 r°.

roses mais des phallus, avec leurs fruits pendants, qui poussent sur un arbre, et de les déposer dans un sac (ill. 95) : un rare exemple de la matérialisation du désir sexuel féminin par l'objectivation de son partenaire. Son désir est considéré comme égal à celui de l'homme, car à l'autre extrémité du coffret il se tient à côté d'un arbre débordant de feuilles en forme de vagin.

Des fleurs plus conventionnelles, qui sont, de nos jours encore, la base des cadeaux d'amour et des cartes éditées à l'occasion de la Saint-Valentin, apparaissent partout dans les *Emblesmes et devises d'amour*, un petit livre de poèmes rédigé par le courtisan Pierre Sala, écrit en lettres d'or sur parchemin pourpre pour sa bien-aimée Marguerite Bullioud, qu'il aimait depuis l'enfance. Lorsqu'il lui fit présent de ce livre vers 1500,

celle-ci était en fait mariée à un autre – Antoine Bautier, trésorier du roi – et ce n'est qu'après la mort de ce dernier en 1506 que Marguerite se trouva enfin libre d'épouser Pierre. L'étui en bois orné de fleurs en cuir rouge, muni d'anneaux permettant à Marguerite de le porter suspendu à sa ceinture comme une aumônière, existe toujours. Il est, comme les pages du livre, couvert de la lettre *M* pour Marguerite. La nature profondément personnelle de ce manuscrit, cadeau d'amour, saute aux yeux dès la toute première miniature, où l'on voit Pierre en train de déposer son cœur dans une marguerite géante (ill. 96). Le peintre lyonnais qui enlumina cette page avait laissé en blanc le visage de Pierre afin qu'un enlumineur plus accompli, le célèbre portraitiste Jean Perréal, puisse le compléter, en même temps qu'il exécutait le beau portrait miniature de l'auteur à la fin du manuscrit ; toutefois cette image de Pierre ne fut jamais achevée. Ce petit livre, bien qu'orienté vers le passé et vers le langage symbolique des fleurs et des cœurs dans l'art de l'amour à l'époque médiévale, annonce aussi l'avenir, la Renaissance, dans la mesure – et c'est une étape décisive – où il donne du bien-aimé non pas une image mais un portrait individualisé que sa maîtresse aura constamment devant les yeux. Le visage inachevé de Pierre dans cette miniature est emblématique de la façon dont l'amant (à la différence de sa dame) avait besoin d'être autre chose qu'une ardoise vide attendant d'être remplie. Marguerite, à la différence de la personnalité spécifique de Pierre qui remplit ce manuscrit, demeure une fleur.

Le cœur

Nous savons tous que le symbole «en forme de cœur» encore utilisé de nos jours n'a pas réellement la même forme que l'organe qui pompe le sang dans nos artères. Ceci devrait attirer notre attention sur la manière profondément symbolique dont sont interprétées toutes les parties du corps humain d'un point de vue culturel. L'un des plus superbes boîtiers de miroir parisiens en ivoire, connu sous le nom de «l'offrande de cœur», a été sculpté avant que ce symbole ne devienne universel ; il n'a donc, de ce fait, pas encore pris sa forme définitive (ill. 97). Tenant son organe entre ses mains levées, bien au chaud entre les plis de son manteau, l'amant agenouillé le remet à une dame debout, légèrement penchée, son bras gauche tendu pour l'accepter, tout en le couronnant de sa main droite. La position agenouillée de l'amant résonne comme un écho des Rois mages s'approchant de Jésus les bras chargés de cadeaux, mais elle évoque aussi un rite beaucoup plus fondamental de la vie chrétienne : la

transformation du corps même du Christ pendant le miracle de la messe lorsque, au moment de la transsubstantiation, le pain et le vin deviennent le véritable corps et le véritable sang du Christ. L'élévation du cœur transcende le matériel en spirituel, l'organe corporel en lien éternel. L'hostie n'est pas seulement un objet de vénération et d'adoration, de même qu'ici ce n'est pas le corps féminin qui est le point essentiel, mais l'amour de l'amant. Le corps de la dame devient l'autel sur lequel sont célébrés la souffrance et le sacrifice de l'amant, l'équivalent de la mort sanglante et de la résurrection du Christ.

Il s'agit là d'une lecture «chaste» de l'ivoire, bien en accord avec la figure du palefrenier sculpté à gauche, qui fouette les chevaux des deux amants, signe qu'ils ont dompté leurs viles passions animales. Cependant, une autre interprétation de ce même ivoire pourrait faire de ce cœur non un symbole désincarné pseudo-sacré, mais plutôt un morceau de chair palpitante, profondément charnelle et érotique, proche de la

97. L'offrande du cœur. Boîtier de miroir, ivoire, Paris, vers 1320. Londres, Victoria and Albert Museum.

conception du cœur qui apparaît dans la littérature contemporaine, c'est-à-dire un organe du désir en perpétuelle translation, passant de l'amant à la dame pour revenir à l'amant. Dans *Cligès*, un roman écrit par Chrétien de Troyes au XII⁰ siècle, le héros et l'héroïne connaissent un échange de cœurs assez impressionnant, si bien que dans un passage Fénice parle de son cœur désormais logé dans celui de son amant Cligès, où il est esclave du sien. Parfois assimilé au phallus, le cœur était synonyme du « courage » de l'homme. Si le prétendant agenouillé ici présente à la dame un symbole de son propre membre, alors la couronne qu'elle se prépare à placer au-dessus de sa tête serait le symbole de son propre corps. Le cœur était bien plus qu'une simple pompe, il était la source de la vie même, le siège des sensations, l'origine des sentiments, de la pensée, voire de la mémoire (d'ailleurs, de nos jours, on apprend encore « par cœur »), de sorte qu'en concentrant en ce lieu leur

98. Le dieu Amour ferme à clé le cœur de l'amant, *Roman de la Rose*, Paris, vers 1380. Londres, British Library, Add. MS. 42133, fol. 15.

ego les individus plaçaient leurs désirs au milieu de leur corps, tandis que nos contemporains ont tendance à tout placer plus haut. L'esprit animal, instrument des sens internes et externes, était, pensait-on, localisé dans le cerveau ; l'esprit naturel, instrument de la nutrition, résidait dans le foie ; et la partie la plus subtile du sang, appelée par les médecins et les philosophes l'« esprit vital », siégeait dans le cœur. L'esprit accompagnait l'âme depuis la transmission de la vie du père à l'enfant au moment de la fécondation

jusqu'à sa remontée finale vers le salut, mais il pouvait quitter le corps en cas d'extase. Lorsque l'amant extirpe son cœur pour l'offrir à sa bien-aimée, nous sommes les témoins de l'équivalent médiéval d'une expérience « hors du corps ». Le cœur était également lié de façon décisive aux yeux dans les doctrines médiévales de l'amour : la beauté frappe par les yeux et va directement au cœur. Dans des manuscrits du *Roman de la Rose*, la miniature qui suit immédiatement celle où l'amant observe la rose montre souvent ce dernier frappé à l'œil par la flèche du dieu Amour, devenant ainsi son vassal, avant que ce dieu ne ferme son cœur à clé (ill. 98). Cette clé, beaucoup plus grande que celle décrite dans le texte, attire l'attention sur la violence radicale de l'acte :

« [...] il tira de son aumônière une petite clé d'or fin. "Avec cette clé, dit-il, je fermerai ton cœur ; je ne demande pas d'autre garantie. Sous cette clé sont mes joyaux ; elle est moindre que ton petit doigt ; mais elle est la dame de mon écrin, et a très grande puissance." Lors il me toucha le côté, et ferma mon cœur de la clé si doucement que je le sentis à peine. [...] "[...] je veux et commande que tu mettes ton cœur en un seul lieu, et qu'il y demeure et s'y abandonne tout entier et sans tromperie, car je n'aime pas le partage. Ne prête pas ton cœur, donne-le tout quittement, franchement, de bonne grâce." »

Cet extrait explique avec pertinence la significa-tion de nombreux coffrets et coffres munis de ser-rures et de cœurs au-dessus du trou de serrure, reproduits dans cet ouvrage (voir ill. 55). Le cœur est un cadeau offert par un homme à une femme, comme dans la tapisserie de *L'Offrande du cœur* (voir ill. 80), mais il est aussi mis en équation avec la richesse, notamment l'or ou les bijoux, entreposés dans un coffre. La démarche de l'amant qui imagine son cœur comme un objet fantasmatique, un objet-élément capable de symboliser par métonymie l'offrande amou-reuse de son être tout entier, pourrait de prime abord être considérée comme dangereuse pour un homme. Le fait de mettre son cœur à nu pourrait ressembler à une autoémasculation, transformant l'homme en une figure vulnérable et dépendante, en opposition avec les codes réels de la supériorité masculine. Mais comprise dans la logique du don, cette présentation de son organe vital à l'autre excluait toute menace de vulnérabilité et anéantissait tout danger d'usurpation par la femme du rôle masculin. En effet, ce sont sur-tout les hommes qui, de façon générale, finissent par arracher leur cœur pour le «fourrer» entre les mains de leur bien-aimée. Plutôt que d'afficher leur cœur, ils préféraient l'offrir en toute occasion, alors que dans les images, comme dans les poèmes et les romans, les femmes avaient tendance à garder leur cœur dans leur jardin secret. Un exemplaire du *Roman d'Alexandre* conservé à la Bodleian Library présente dans les parties inférieures d'une page d'ouverture deux scènes opposées : elles ont souvent été décrites, d'une part, comme une dame offrant son cœur à son amant et, d'autre part, comme une dame que l'on tente de séduire par l'offrande d'une bourse (ill. 99). Il semble toutefois étrange de voir le cœur d'une dame aussi ouvertement exposé. Il s'agit donc, plus vrai-semblablement, de l'image d'une dame acceptant le don du cœur de son amant, dont la main posée sur la poitrine indique clairement l'origine de l'organe. Dans un cas, la dame regarde attentivement le cadeau qui lui est offert, tandis que dans l'autre elle s'en détourne avec sagesse. C'est l'opposition entre l'amour et l'argent, entre un amour spirituel supérieur offert et accepté sous la forme d'un cœur et une offre d'ar-gent, vile et matérielle, qui est au centre de cette image.

Si donner son cœur est le plus grand don de soi

99. L'offrande d'un cœur, et un amant offrant de l'argent à la dame,
Roman d'Alexandre, Bruges, 1344, sous la direction de Jean de Grise.
Oxford, Bodleian Library, MS. Bodl. 264, fol. 59 r°.

100. « *De tout mon cœur*». Cadenas,
France, XVᵉ siècle. Or, diamètre : 2,2 cm env.
Londres, British Museum.

que l'on puisse faire, ce n'est qu'une image, un symbole sans aucune garantie d'authenticité. L'auteur d'une traduction française de *L'Art d'aimer* d'Ovide explicite clairement ce point :

« L'auteur dit, et cela est vrai, que celui qui veut bien commencer son intrigue amoureuse doit faire semblant d'être prêt à rendre tout service, exaucer tout vœu et entreprendre toute mission personnelle qu'il peut pour sa dame. À cause de cela, les jeunes gens disent dans leurs chansons qu'ils veulent montrer à leurs amours qu'ils sont prêts en paroles et en faits. Ils chantent cela dans leur petite chanson : "Pour servir ma dame/J'ai donné mon cœur et moi-même." »

De même, les images et les objets décrits ici ne représentaient pas de véritables sentiments mais proposaient plutôt une série de conventions susceptibles d'être adoptées et utilisées en cas de besoin. Quel qu'il ait pu être, l'objet fermé par le minuscule cadenas en

or inscrit de la devise *De tout mon cœur* était conservé en sécurité par la notion même d'intégrité et de vérité symbolisée par le cœur (ill. 100). Datant de 1425 environ, un fermail en or et émail conservé au British Museum porte l'inscription « *Je/suis/Vostre/sans/partier* » (« Je suis inséparablement vôtre »), suggérant de nouveau que le cœur était donné par un ou une amante à sa ou son bien-aimé pour symboliser des sentiments d'éternelle affection. Mais, le lendemain du jour où de tels dons du cœur avaient été faits, les sentiments de l'un ou de l'autre pouvaient avoir changé. Les objets sont donc, en un sens, moins inconstants que les gens, un cœur en or est plus fiable et plus durable dans son incarnation du désir que ceux dont il a pu, à un moment donné, exprimer les sentiments.

101. Barthélemy d'Eyck.
Désir prend le cœur : Livre du cuer d'amours espris,
Aix-en-Provence, vers 1460-1470. Vienne, Österreichische
Nationalbibliothek, Cod. Vind. 2597, fol. 2 r°.

102. Une dame râpe le cœur de son amant. Coffret, Bâle,
vers 1430. Bois. Bâle, Historisches Museum.

Sensible à chaque offense et vulnérable aux plus exquises tortures des doigts de la dame, le cœur peut subir des transformations. Sur un coffret en bois, tout à côté d'une énorme serrure, une dame s'absorbe dans un travail insolite : à première vue, on a l'impression qu'elle récure le cœur de son amant, qu'elle le frotte sur une planche à laver, mais en fait, elle est beaucoup plus cruelle : elle le râpe, en le faisant passer dans un mortier (ill. 102). L'inscription, « *das herze din lidet pin* », se réfère directement à cette action (« Le cœur éprouve de la douleur »). Rien ne saurait être plus éloigné de l'abstraction plate de notre symbole moderne du cœur que l'objet charnu, vulnérable, que l'on torture ici. Considérée comme une phase inévitable du processus de l'amour, cette agonie de l'amant était moins une forme de masochisme – subi pour le plaisir – qu'une forme de prière, de soumission à l'autorité supérieure de la *jungfrei[lin]* à qui l'amant s'adresse à l'aide de son propre phylactère.

La première miniature d'un manuscrit superbement enluminé (ill. 101) du *Livre du cuer d'amours espris*, écrit par le roi René d'Anjou en 1457, est sans doute la plus convaincante des images médiévales décrivant les peines et les souffrances du cœur masculin. Ce poème onirique décrit comment le dieu de l'Amour enleva une nuit le cœur de la poitrine du poète pour le remettre au page, « Ardent Désir », qui s'est levé de son petit lit situé à côté de celui de son maître, les mains tendues pour le recevoir. Seules les minuscules flammes traduisent ici le rôle de Désir, éclairant sa courte jupe dévoilant des jambes bien galbées, gainées d'un collant blanc. Dans le reste du poème le cœur, personnifié sous le nom de chevalier Cœur, se livre à diverses batailles jusqu'à obtention des faveurs de la dame, qui brille surtout par son absence dans le poème comme dans les illustrations. Barthélemy d'Eyck, l'illustrateur talentueux de ce texte, semble s'être davantage intéressé aux doux regards

103. *Chants du cœur, Chansonnier de Jean de Montchenu*, Savoie, vers 1475.
Paris, Bibliothèque nationale, MS. Rothschild 2973, fols 3 v°-4 r°.

et gestes échangés par les hommes qu'à la finalité de la quête : la perfection narcissique d'un désir plus « homosocial » (voir page 138) qu'hétérosexuel. Ce qui se passe dans l'obscurité délicate de ce grand lit à baldaquin n'est pas autre chose que la manipulation sensuelle de chairs cramoisies par des mains masculines, celles de Moi, d'Amour et de Désir.

Dans la mesure où le cœur était associé à la mémoire comme à l'amour, il n'est guère surprenant qu'un certain nombre de livres de prière en forme de cœur aient existé au XVe siècle. Mais l'on connaît aussi un magnifique chansonnier cordiforme qui renferme quinze chansons françaises et trente italiennes écrites par de grands compositeurs de l'époque, tels Dufay

et Busnois (ill. 103). Cette miniature figurant un couple qui flâne dans un intérieur s'inscrit malaisément dans la page courbe, mais ce qui la rend si troublante tient peut-être au fait qu'elle crée une coupure dans le cœur, dans cette forme que nous considérons toujours comme entière et inviolable. Pour son propriétaire, cet ouvrage faisait peut-être du cœur une sorte de jardin, à la fois sacré et sensuel, un coffre de souvenirs, de chansons et d'images « appris par cœur ». Il est curieux de constater que ce manuscrit insolite a appartenu non à un chevalier mais à un éminent ecclésiastique savoyard, Jean de Montchenu : il fut exécuté pour lui peu avant qu'il ne devienne évêque d'Agen en 1477. Si cet exemple semble attenter à l'intégrité

104. Maître Caspar de Ratisbonne. *Le Pouvoir de Frau Minne sur le cœur des hommes*, 1479.
Gravure sur bois. Berlin, Staatliche Museen Preussischer Kulturbesitz, cabinet des Estampes.

du cœur, il n'est rien comparé à une gravure allemande de maître Caspar de Ratisbonne. Cette gravure sur bois colorée énumère les affreuses tortures infligées au malheureux organe de l'amant (ill. 104). Pas moins de dix-huit cœurs sont battus, pressés, sciés en deux, soumis aux poucettes et piqués comme autant de brochettes par Frau Minne. Les inscriptions en allemand font référence au pouvoir des femmes sur le cœur des hommes. Aucune image ne symbolise mieux le fantasme de souffrance et de fragmentation que les hommes construisaient et savouraient, ce qui leur permettait ainsi d'inverser la situation réelle et de faire des femmes les souveraines non seulement de leur corps mais également de leur âme.

Un petit panneau anonyme, souvent appelé *Le Sortilège d'amour* (ill. 105), est la plus remarquable illustration en deux dimensions de ce pouvoir féminin. Une jeune fille nue, aux longs cheveux blonds, a déposé un cœur saignant dans un coffret : elle allume les flammes de l'amour avec une boîte d'amadou d'une main tandis que, de l'autre, elle en éteint le feu avec des gouttes d'eau suintant d'une éponge. Tous les thèmes que nous avons déjà rencontrés : l'amour qui souffle le chaud et le froid, toutes les associations interactives d'objets aussi divers que des coffrets, des cœurs, des chiens, des oiseaux, des fleurs et des miroirs, sont réunis au sein de cet espace, mais désormais la cohésion de leur efficacité symbolique est

assurée par la toile translucide de la réalité peinte. L'objet du désir se tient debout près de la cheminée, siège de l'autorité et du pouvoir féminins, complètement nu, son voile transparent révélant plus qu'il ne le cache son corps voluptueux. Telle une parodie de l'Annonciation – image de l'amour sacré, moment de la conception de l'Enfant Jésus – ,la jeune fille regarde modestement vers le bas. Toutefois, ici le sujet du désir, le jeune visiteur mâle, n'a pas d'ailes, il doit ouvrir prosaïquement la porte pour jeter un coup d'œil furtif à l'intérieur.

Ce que ce jeune homme voit a été identifié par certains spécialistes comme une figuration des rites traditionnels de fertilité de la nuit de la Saint-André, qui étaient célébrés le 30 novembre. Cependant comme à l'extérieur les blés dorés sont mûrs, il s'agit d'une magie estivale. Si cette scène représente effectivement un épisode du calendrier érotique, il s'agirait alors plutôt de la fête de la Saint-Jean, célébrée le 28 juin. Allumer des feux de joie, cueillir des herbes aphrodisiaques et ligoter son amant faisaient partie des rites païens du début de l'été qui enfiévraient l'énergie de la communauté pour la moisson à venir. Un écrivain du XVIᵉ siècle décrit dans un poème les substances magiques qu'une prostituée conserve dans sa chambre, notamment le petit bois des feux de la Saint-Jean, ainsi qu'un perroquet, oiseau symbole de luxure qui, dans cette peinture, est perché sur le bord d'une coupe de bonbons. L'enchanteresse déploie ses sortilèges pour que le jeune homme s'éprenne d'elle. Le réalisme de la représentation nous incite à penser qu'il s'agit d'une image de rites folkloriques réels, mais en réalité il s'agit, comme toutes les images de ce chapitre, d'une nouvelle expression du fantasme d'un artiste masculin. La magie ici ne réside pas dans ce qui est représenté mais dans la représentation elle-même : la nouvelle technique de la peinture à l'huile qui nous fait percevoir, sous de nouvelles formes, chaque étincelle, chaque gouttelette, chaque pli de chair.

Le regard terne, presque vide, du garçon envoûté est peut-être la première attestation du regard pornographique dans l'art occidental, surtout parce que nous, spectateurs anonymes, extérieurs à l'image, sommes incités à nous identifier à lui, attirés comme si nous étions son double, à regarder fixement dans ce miroir. Apparemment, son regard est censé refléter celui du spectateur, un observateur masculin qui pouvait se délecter de cette image objectivée, image qui est supposée l'attirer par sa magie mais qui en réalité l'attire par la magie nouvelle de la peinture. Ce tableau fut sans doute exécuté pour être accroché dans un cabinet semblable à celui qui est représenté ici. Comme d'habitude, le sujet mâle du désir, apparemment captivé par l'image d'un objet désiré, contrôle l'exécution du tableau comme son observation. Ici, une femme est figurée non pas en train de tisser des étoffes pour affronter l'opprobre de son corps déficient, mais de tisser une série de sortilèges qui lui permettront de se dénuder. L'auteur du *Mesnagier de Paris* du XIVᵉ siècle utilise le terme sinistre d'*ensorclere*, ou ensorceler, pour décrire la façon dont une épouse parvient à prendre de l'ascendant sur son mari. Cette peinture devrait donc être intitulée «la jeune sorcière», puisqu'elle témoigne du début de ces associations troublantes et dangereuses qui, au cours des deux siècles qui suivirent, allaient conduire au jugement, à la torture et à l'exécution de milliers de corps semblables à celui de la jeune fille figurée ici, une forme meurtrière de misogynie institutionnalisée du début des temps modernes qui est – et de loin – beaucoup plus irrationnelle que tout ce qui a pu se produire au cours du Moyen Âge.

105. *Le Sortilège de l'amour*, maître anonyme rhénan, fin du XVᵉ siècle. Huile sur panneau, 24 x 18 cm. Leipzig, Museum der Bildenden Künste.

106. La «femme au-dessus» : Aristote et Phyllis. Aquamanile, Pays-Bas, vers 1400.
Bronze, H. : 33,5 cm. New York, The Metropolitan Museum of Art.

CHAPITRE CINQ

La Finalité

de l'Amour

Depuis l'Antiquité on a distingué en amour quatre degrés différents. Le premier
consiste à donner des espérances, le deuxième est dans l'offre du baiser, le troisième dans les plaisirs
des caresses, le quatrième enfin a comme terme le don total de la personne.
André Le Chapelain

La dynamique évidente du quatrième et ultime degré de l'amour, décrit par les auteurs médicaux et scientifiques comme le coït, par les prédicateurs comme la fornication, par les poètes comme le dépucelage, par les gens ordinaires comme baiser et par les plus pudibonds par l'euphémisme latin *factum* – «l'acte» – est illustré par un minuscule insigne en alliage d'étain et de plomb récemment découvert dans le lit d'une rivière hollandaise (ill. 107). Cet objet bon marché, qui a sans doute orné autrefois un bonnet

107. Couple copulant, avec un chien,
un oiseau et un spectateur. Insigne, alliage d'étain
et de plomb, Pays-Bas, vers 1375-1425. Cothen,
M. J. E. Van Beuningen Collection.

de boucher plutôt qu'un manteau de prince, représente l'un des millions d'orgasmes banals et ordinaires qui rythment l'existence de l'humanité, mais il signifie bien davantage. Le petit oiseau tient une banderole gravée du mot «amours», c'est pourquoi je l'ai inclus dans cette étude de l'art de l'amour au Moyen Âge. Le couple est accompagné d'un chien qui lèche quelque chose dans un baril, tandis qu'un homme (un mari ?) au costume orné de boutons les observe, tapi derrière un arbre. Peut-être cet insigne racontait-il une histoire populaire.

Bien que la possession sexuelle ait été l'objectif final de l'amour, l'art médiéval s'attarde rarement sur cet instant précis. En effet, le sexe – comme la mort – ne peut être efficacement représenté : la technique immobile de l'image, qui nous place toujours à l'extérieur de l'acte, en tant que voyeurs, comme l'homme figuré ici à gauche, s'avère incapable de rendre compte de sensations et de réponses instinctuelles qui s'échelonnent dans le temps. C'est ici que se situe le paradoxe fondamental de l'art médiéval de l'amour : le fait que sa concrétisation tant attendue puisse paraître si facilement banale, voire ridicule. L'acte sexuel est entouré de symboles, moins pour dissimuler sa nature physique que pour lui conférer un semblant de signification. À l'instar de bon nombre d'amants trop ardents, nous brûlons les étapes et nous précipitons trop vite pour atteindre notre but au lieu de préparer intelligemment le terrain par des caresses, des étreintes et des baisers.

Le toucher

Pour accéder enfin à sa bien-aimée, l'amant devait faire preuve de patience et se soumettre à une série d'étapes plus ou moins hiérarchisées qui sont figurées dans une miniature du XIIIe siècle illustrant le poème *Ci Commence del Arbre d'Amours* (ill. 108). Au niveau le plus bas, il supplie, agenouillé, la dame qui se refuse même à le regarder et s'en détourne, la main sur le cœur. La scène au-dessus le montre, toujours agenouillé, ébauchant un geste réminiscent de l'hommage féodal que nous avons déjà évoqué. Le troisième niveau correspond au troisième degré d'André Le Chapelain, celui de la caresse ou du contact physique. Les deux figures sont assises sur une surface horizontale, dans une égalité décisive qui annonce l'éventualité de rapports sexuels : il tend sa main pour lui

108. L'Arbre de l'Amour, illustration du poème *Ci Commence del Arbre d'Amours*, Paris, 1277. Paris, bibliothèque Sainte-Geneviève, MS. 2200, fol. 198 v°.

109. L'Arbre du Mariage, illustration des degrés de parenté interdits,
Décret de Gratien, Cologne, vers 1300. Cambridge, Fitzwilliam Museum, MS. 262, fol. 71 v°.

toucher l'épaule, elle lui répond en étendant son bras, dans une attitude non pas – comme dans les scènes inférieures – pondérée et rituelle, mais spontanée, voire impétueuse. L'homme est figuré à droite de la dame, dans ce qui était devenu, dans le cadre de la réglementation croissante du mariage par l'Église, la position traditionnelle des couples que l'on peut voir dans les manuscrits contemporains du droit canon (ill. 109). À la différence des branches ascendantes de l'arbre de l'amour, celui-ci, avec ses évocations de la chute d'Adam et Ève dans le sexe, la reproduction et la mort, se lit de haut en bas comme une paire descendante de «lignes de sang» séparant les différents degrés de parenté des époux. Le

110. Le jeu d'échecs. Boîtier de miroir, Paris, vers 1300.
Ivoire, diam. max. : 11,5 cm env. Paris, musée du Louvre.

IVe concile du Latran de 1215 avait fixé à quatre le nombre de degrés de consanguinité autorisés entre partenaires, ce qui rendait illégal le mariage entre cousins germains. Le statut matrimonial du couple qui se rejoint dans les branches de l'Amour n'est pas décrit, car il aurait pu, de par son ambiguïté, constituer une menace – celle d'une éventuelle progéniture illégitime – pour la descendance par la ligne paternelle, si fondamentale pour la transmission de la noblesse. Dans ces deux arbres, nous voyons s'opposer, d'une part, les rapports sexuels idéalisés sous-entendus dans l'art de l'amour et, d'autre part, les réalités et les contraintes du marché médiéval du mariage.

Les amants courtois devaient respecter tout un ensemble de règles qui faisaient de l'amour un jeu. Un boîtier de miroir en ivoire, où l'on voit un couple jouer aux échecs (ill. 110), nous en apporte une confirmation. Il est intéressant de constater que, même lorsque le couple est figuré, comme ici, au deuxième degré de l'amour, c'est-à-dire sans contact physique, nous trouvons déjà des indications suggérant que les troisième, quatrième et cinquième degrés ne sont pas éloignés. Ce miroir est une allégorie sophistiquée du désir : on voit l'homme sur le point de mettre sa compagne en échec tout en croisant élégamment ses jambes en signe d'espoir et serrant – telle une lance phallique – le mât central du pavillon. Cette iconographie allusive se poursuit avec la figuration de la dame, dont le corps a été littéralement taillé à la gouge dans l'ivoire crémeux en une série de plis gothiques qui se creusent, accentuant ainsi sa pénétrabilité. Même les rideaux relevés qui constituent le cadre de cette scène intime sont, comme nous allons le voir, tout à fait explicites : ils symbolisent non seulement les rideaux qui entourent un lit mais également l'ouverture anatomique du corps féminin, qui ne peut être représentée en tant que telle. Si les deux serviteurs figurés ici présentent les symboles traditionnels des amants – le faucon qui prend de la viande dans une bourse et la couronne –, c'est parce que toute l'action est concentrée sur la lutte pour la possession des corps qui se joue sur l'échiquier.

Le jeu d'échecs était une astuce allégorique particulièrement pertinente, dans la mesure où il exprime la tension badine mais aussi l'antagonisme, souvent violent, indissociables des stratégies de séduction qui constituaient l'art de l'amour au Moyen Âge. Associé à la guerre, aux mathématiques et à la rationalité masculine, l'échiquier lui-même était devenu un simulacre de la société médiévale. Postérieur d'environ un siècle, un superbe échiquier bourguignon qui nous est parvenu intact joue encore, sur son cadre extérieur délicatement sculpté, sur ces allusions entre le jeu et la conquête de la dame (ill. 111). Sur l'un de ses bords, peut-être le côté du joueur masculin, des chevaliers en armure portant des lances immensément

III. Le terrain de jeux de l'amour, côté du joueur masculin en bas et côté féminin en haut.
Échiquier, Bourgogne, fin du XVe siècle. Ivoire et bois, 66,2 x 65,6 x 6,1 cm.
Florence, Museo Nazionale del Bargello.

longues s'affrontent en tournoi, tandis que, sur le côté opposé, des dames élégantes portant des coiffes pointues à la mode de Bourgogne prennent une collation et dansent dans un jardin. Cet objet «spatialise» littéralement la différenciation sexuelle de part et d'autre de l'échiquier, faisant de chaque partie une guerre entre les sexes.

Certains jeux médiévaux engageaient des courtisans dans des exercices physiques plus intimes. L'un d'eux était une sorte de colin-maillard appelé en

français «main chaude» ou «hautes coquilles», en allemand *Schinken klopfen*, ou «fessée», dans lequel l'homme, la tête cachée sous une robe de dame ou les yeux bandés d'une autre façon, était fessé par d'autres dames. Dès que le nom de la frappeuse était deviné, les rôles étaient inversés, à moins que le vainqueur ne soit récompensé d'un baiser. Ce jeu, figuré sur des tablettes à écrire en ivoire conservées à Ravenne et au Louvre, ainsi que dans les célèbres *Heures de Jeanne d'Évreux* (1325-1328), faisait partie

d'un certain nombre de divertissements courtois représentés sur une magnifique tapisserie qui aurait été tissée en Alsace (ill. 112). Frau Minne trône à l'une des extrémités, dans un enclos isolé, entourée de courtisans en tout genre qui folâtrent dans un grand jardin situé devant un château. Elle arbitre un autre jeu appelé «quintain» (une forme violente de «faire du pied»), qui consistait à donner des coups de pied ou à pousser sa plante de pied contre celle de son adversaire. Ici, une dame magnifiquement vêtue, portant un collier fait d'une chaîne de lettres *e*, soulève sa longue robe rouge et, retenue par un homme plus jeune, pousse la plante de son pied contre celle de son adversaire masculin. Son phylactère proclame «*din stosen gefelt mir wol/lieber stos als es sin sol*», ce qui peut être traduit en gros par «J'aime pousser / Plutôt une poussée comme celle-ci qu'une autre» ; son amant, paré d'une ceinture de clochettes en argent, répond : «*Ich stes gern ser / so mag ich leider nit mer*», ce qui signifie «J'aime pousser / mais je n'ai plus envie de pousser comme cela». Ici l'action de «pousser» désigne l'acte sexuel, que la dame préfère éviter en jouant à ce jeu mais auquel l'homme souhaiterait passer directement. À la différence des phylactères des tapisseries franco-flamandes, qui ont tendance à se montrer descriptifs, ceux des tapisseries allemandes tiennent fréquemment des propos merveilleusement directs comme ceux-ci. Souvent, ces paroles expriment le clivage entre les positions des sujets masculin et féminin, la guerre entre les sexes. Ici, les mots soulignent le fossé qui sépare les interprétations masculine et féminine d'un même jeu. Derrière le couple «poussant» se tient un autre jeune couple, peut-être les mariés pour qui fut tissée cette tapisserie.

112. Jeux courtois devant un château. Tapisserie, Alsace, 1385-1400. Nuremberg, Germanisches Nationalmuseum.

113. *Le Christ et saint Jean*. Lac de Constance, vers 1310-1320. Chêne, H. : 89 cm.
Berlin, Staatliche Museen Preussischer Kulturbesitz.

114. Le soupirant trop entreprenant. Étude pour une lettre «A» enluminée,
vers 1300. Plume et encre, rehauts de vermillon, sur vélin.
Oxford, Ashmolean Museum.

De même que, dans le jeu de l'amour, la dame autorise son bien-aimé à poser sa tête sur ses genoux, le Christ permet à saint Jean l'Évangéliste, son disciple bien-aimé, de le faire dans une série de figures de dévotion en bois sculpté, populaire dans les couvents allemands vers la fin du Moyen Âge (ill. 113). Fondée sur le texte évangélique de la Cène, l'image du «disciple bien-aimé» endormi sur la poitrine du Seigneur prouve que les mêmes gestes et les mêmes contacts intimes peuvent signifier des choses tout à fait différentes dans des contextes différents. Il serait anachronique de projeter des désirs homosexuels sur les créateurs ou les utilisateurs de ces figures, qui étaient pour la plupart des religieuses. En s'identifiant à saint Jean, ces femmes cloîtrées pouvaient s'échapper de leur sempiternelle position de bien-aimée et rechercher un contact plus intime avec leur propre bien-aimé, ce que leur permettait d'ailleurs leur interprétation du Cantique des cantiques dans laquelle elles s'identifiaient à l'épouse. Jean étant l'archétype de l'amant du Christ au sens mystique, la présence d'une telle statue dans le cadre d'une chapelle dans une église ou un couvent aurait permis à diverses catégories de spectateurs, laïcs ou cloîtrés, hommes ou femmes, de se reconnaître, voire de s'identifier à lui. La main douce et pourtant protectrice sur l'épaule, les mains qui s'effleurent mais ne se prennent pas, apportaient à ceux qui étaient unis par la chair et le sang, plutôt que par le bois, un support d'identification censé transcender les pulsions du corps.

115. Le «toucher». Console, pierre,
nef de la cathédrale, Auxerre, vers 1300.

La question de savoir s'il y réussissait ou non est un autre problème. En effet, l'on voit partout dans l'art du XIVᵉ siècle, des attouchements plus frénétiques, notamment dans une lettre *A* formée par un jeune homme élégamment coiffé dont les doigts s'étirent vers la couronne fleurie qu'une dame retire d'un geste preste comme pour dire : «Ah non, n'y touchez pas !» (ill. 114). Ce petit morceau de parchemin a peut-être appartenu à un livre de modèles utilisé par un artiste des Flandres ou de l'est de la France aux environs de 1300. Provenant de France, d'Allemagne et d'Italie du Nord, des livres de modèles contemporains prouvent que les artistes collectionnaient tout autant ces stéréotypes de l'amour que des têtes et des corps schématiques qui pouvaient être insérés dans les récits religieux. À vrai dire, le nombre de thèmes profanes retrouvés dans les livres de modèles médiévaux devrait attirer l'attention sur le

grand nombre d'œuvres d'art profanes qui ont été perdues, comparé aux objets sacrés qui ont survécu. Souvent, des lettres épelant des noms d'amants s'entrelacent pour former des codes secrets sur des étoffes somptueuses, des ceintures, et même dans les marges des manuscrits. Ce *a* pouvait servir à désigner l'objet du désir, quelque «Anne» ou «Agnès», ou peut-être «Amour» lui-même. Alors qu'il nous est facile d'imaginer comment des objets utilitaires en trois dimensions, tels les miroirs ou les aumônières, fonctionnaient par rapport au corps, il n'est pas aussi évident de comprendre comment des dessins et des miniatures de manuscrits, œuvres plates, en deux dimensions, pouvaient être utilisés dans des contextes plus charnels. Une indication apparaît dans le roman occitan *Flamenca* (1240-1250), où l'amant Guillaume envoie à sa bien-aimée Flamenca un court poème et une image sur parchemin du couple adultère : «Souvent ils les pliaient et les repliaient et faisaient

116. Le vilain Résistance et les amants. Boîtier de miroir, ivoire, vers 1320. Paris, musée national du Moyen Âge - Thermes de Cluny.

attention de ne pas les détériorer par le frottement de façon que ni les lettres ni les images ne paraissent le moins du monde effacées. » L'intérêt de cette image plate est qu'elle peut être tenue secrète et portée aussi près du corps qu'une ceinture. Flamenca emporte même l'image dans son lit et en joue ingénieusement : « Elle a réussi à les plier si adroitement qu'elle pouvait les faire s'embrasser. » Elle les place sur son sein et dit : « Ami, je sens ton cœur à la place du mien », et le matin, lorsqu'elle se lève, elle fixe l'image de Guillaume et lui parle doucement d'amour. Curieusement, c'est la femme qui se sert ici d'images pour obtenir un plaisir solitaire, sensuel et érotique.

S'opposant au mouvement de recul de la dame sur cette lettre *A*, une importante console sculptée, bien au-dessus du niveau de l'œil dans la nef de la cathédrale d'Auxerre, montre une femme qui se laisse toucher (ill. 115). Telle une parodie de la scène biblique illustrant traditionnellement l'incrédulité de saint Thomas, elle écarte sa robe pour permettre à un jeune homme portant une coiffure de chasseur de toucher son sein et sentir sa chair vivante. Une broche annulaire en or conservée au British Museum, gravée de la devise « Je suis une broche pour garder le sein. Pour qu'aucun fripon ne puisse y mettre sa main », suggère que, à cette époque, cette partie du corps féminin était déjà considérée comme une zone érogène. Toutefois, le sein, tant masculin que féminin, était bien plus qu'un simple symbole érotique, il était le siège du moi et des sensations, l'emplacement du cœur et l'endroit qui était censé être « l'intérieur » de la boîte, le « coffre » où l'on gardait ses pensées et ses désirs secrets.

Même sur un objet de luxe courtois, il y a des gestes qui vont parfois trop loin. Dans le *Roman de la Rose*, une figure appelée Danger ou Résistance personnifie le refus de la dame, la garde qu'elle dresse

117. La « petite mort ». Jaufré Rudel meurt dans les bras de la comtesse de Tripoli, manuscrit d'un *Chansonnier*, Italie du Nord, XIIIe siècle. Paris, Bibliothèque nationale, MS. fr. 854, fol. 121 v°.

contre les intrus. Cet ogre géant, « gardien des roses », apparaît sur le revers d'un miroir pour signifier à l'amant qui étreint trop fortement qu'il doit s'éloigner (ill. 116). Bien qu'à première vue on puisse voir dans cette scène une jeune fille délivrée des assauts d'un homme sauvage, ou encore le choix qu'elle doit faire entre un rude amant poilu et un jeune amant courtois, tel qu'il est parfois représenté sur certains coffrets médiévaux, j'interpréterai plutôt cette scène comme le récit du refus, du « Non ! », de la dame. C'est peut-être la raison pour laquelle la jeune fille se retourne pour saluer le géant, qui en réalité vient à sa rescousse. Il incarne la puissance du refus de la dame. Mais un tel protecteur était-il de taille à lutter contre les avances du jeune homme, dont les bras entourent déjà sa taille aussi étroitement qu'une ceinture ?

118. Le Jugement dernier ; la dame aide la chair de son amant à ressusciter, psaume 109, psautier,
Gand, vers 1300. Oxford, Bodleian Library, MS. Douce 6, fols 79 v°-80 r°.

L'amant idéal était moins excessif et entreprenant
Dans la tradition de la poésie troubadour, c'est la dame,
ou *domina,* qui prend l'initiative alors que l'amant est
souvent représenté passif, figé en une profonde adoration, incapable de toucher à l'objet de son désir. Il
n'y a pas meilleure image de cette inversion des rôles
sexuels dans la culture médiévale que cette lettrine
(ill. 117), peinte dans un manuscrit de poèmes de troubadour d'Italie du Nord du XIIIᵉ siècle. Selon ce poème,
le troubadour « Jaufré [actif de 1120 à 1148] tomba
amoureux de la comtesse de Tripoli sans jamais l'avoir

vue, sur la foi de descriptions enthousiastes que lui
firent des pèlerins venant d'Antioche. » Parti pour
la rencontrer, il tomba malade à Tripoli mais la
comtesse vint à son chevet « et le prit dans ses bras.
Et il sut qu'elle était la comtesse et immédiatement il
retrouva son sens de l'ouïe et de l'odorat, et il loua
Dieu de l'avoir maintenu en vie jusqu'à ce qu'il l'ait
vue. Puis il mourut dans ses bras. » L'enlumineur a
peinte cette victoire tragique de l'amour : les yeux du
poète se sont fermés, dans la « petite mort » qu'Aristote
avait décrite comme accompagnant l'orgasme.

Un minuscule psautier présente une image nettement moins raffinée d'une femme excitant un homme, qui illustre étonnamment l'ouverture du psaume 109. Parallèlement aux morts qui se lèvent sur la page de gauche pour se tenir « dans leur chair » à l'instant du Jugement dernier, on voit dans la marge opposée un jeune homme endormi sur les genoux de sa dame vivre sa propre résurrection charnelle : une érection (ill. 118). L'association entre le pouvoir de Dieu, *Dominus*, et le pouvoir de la dame, *domina*, fonctionne ici à différents niveaux : d'une part, « vit » (le membre viril) est homonyme de « vie », d'autre part, le péché d'Adam, qui fait éternellement bouger le corps de l'homme contre sa volonté, a été racheté par le Christ, qui présente ici ses plaies corporelles pour ramener les morts à la vie. Ce sont probablement les mots *virgam virtutis*, la « verge » ou « sceptre de puissance » que l'on lit dans le deuxième verset du psaume sur cette même page, qui suggérèrent à l'artiste cette analogie frappante : « Ton sceptre de puissance, Yahvé l'étendra : / depuis Sion, domine jusqu'au cœur de l'ennemi. » Bien qu'elle soit sous contrôle ennemi, l'accent est mis sur la « verge » puissante de l'homme. Vraisemblablement conçu comme un cadeau de mariage, ce petit psautier constituait peut-être pour ses propriétaires une promesse de fertilité. L'art religieux médiéval, en recourant à la stimulation sexuelle, précisément afin de ridiculiser, voire de contester – comme ici – son potentiel de plaisir, aurait-il amené les illustrateurs courtois à l'exclure le plus souvent de leurs images profanes ?

LE BAISER

Une série de *Vices* et de *Vertus* sculptée sur le portail central de la façade occidentale de la cathédrale Notre-Dame d'Amiens devait résonner comme autant d'aver-

119. Le baiser coupable : la *Luxure*, sculpture en pierre, façade occidentale, cathédrale, Amiens, vers 1225-1230.

tissements aux habitants de la ville de ce qui les empêcherait d'entrer au paradis. Au-dessous de la personnification assise de la *Chasteté*, décrite par Alain de Lille comme une vierge dont la bouche n'aurait jamais été baisée, se trouve un couple dont les bouches s'unissent (ill. 119). Au XIIe siècle, la *Luxure* était représentée dans les églises romanes sous les traits d'une femme dont les parties génitales sont mordues, en enfer, par des crapauds et des serpents. À présent, il s'agit d'un péché scellé par un baiser. C'est dans le contexte du IVe concile du Latran de 1215, qui incitait tous les chrétiens à confesser de tels péchés, que se comprend le mieux ce passage de la représentation du résultat eschatologique du vice à celle de sa perpétration dans le monde terrestre. Plus intime que l'image sculptée de la *Luxure* de la cathédrale de Chartres, où l'homme ne fait que poser sa main sur important palais royal racontant la célèbre histoire d'amour. Ce baiser correspond davantage à une promesse de fidélité qu'à un contact érotique, un acte signé avec les lèvres qui ressemble à un serment prononcé par ces mêmes lèvres. Bien sûr, cette scène est particulièrement piquante parce que l'on sait que Tristan tombera bientôt amoureux de la propre épouse de Marc. Mais, en fait, le jeune homme assume dans ce rituel la position d'objet «féminin» et cette trans-

120. Le baiser féodal : Tristan et le roi Marc échangent un baiser. Carreau de céramique, abbaye de Chertsey, Angleterre, vers 1250-1270. Londres, British Museum.

l'épaule de la dame, ce couple est passé à un degré ultérieur, l'alignement vertical des lèvres s'unissant directement au-dessus des parties génitales dont la moiteur et les mouvements cachés et incontrôlés sont sous-jacents.

Alors que, de nos jours, le baiser a une signification essentiellement sexuelle, il participait alors de façon importante à la gestuelle féodale. Des hommes embrassaient d'autres hommes en public tant dans le rituel d'hommage, l'*osculum feodale*, que dans les églises à la fin de la messe pour le baiser de la paix. Les femmes étaient dispensées de ce baiser féodal «dans l'intérêt de la décence», ce qui suggère qu'il existait une véritable hiérarchie des baisers. De ce point de vue, l'un des plus éloquents carreaux de céramique découverts à l'abbaye de Chertsey figure le baiser échangé par Tristan et le roi Marc (ill. 120). Il appartient vraisemblablement au pavement d'un

121. Le baiser mystique, la Vierge et son Fils, *Passionale de l'abbesse Cunégonde*, Prague, 1314-1321. Prague, Bibliothèque nationale de la République tchèque, MS. XIV a 17, fol. 16 v°.

122. Le baiser du manant. Miséricorde sculptée, cathédrale de Chichester,
vers 1320. Bois, 63,5 x 25,5 cm.

position, où l'on voit Marc, tel un amant contemplant sa bien-aimée, prendre le visage du jeune homme entre ses mains, suggère la nature possessive et jalouse du roi, de même que ses drapés désordonnés indiquent des tendances quelque peu obsessionnelles.

Le baiser recouvrait un ensemble complexe d'acceptions religieuses, voire liturgiques, bien évidemment influencées par l'iconographie biblique du Cantique des cantiques qui, comme nous l'avons déjà vu, s'ouvre avec la phrase : « Qu'il me baise des baisers de sa bouche. » Dans un manuscrit exécuté pour Cunégonde, abbesse du monastère de Saint-Georges à Prague (ill. 121), un artiste bohémien a peint une autre rencontre mystique des membranes muqueuses. Ici, le Christ caresse de sa main droite – encore ensanglantée par la blessure de la croix – la joue de sa mère, tandis que cette dernière, le pied gauche posé sur celui de son fils, entoure ses épaules de son bras droit

et caresse ses cheveux de sa main gauche. Bien que cette image porte l'inscription « Jésus-Christ salue sa mère du baiser de la paix », c'est en réalité la Vierge qui en est le sujet central : adoptant très activement la position dynamique de l'épouse, elle encourage les moniales à suivre son exemple et à se confondre avec leur Père/Fils/Amant.

Pour le paysan qui, selon André Le Chapelain, était incapable d'aimer, le baiser n'était qu'un acte animal, dépourvu de toutes les connotations qui lui donnaient sa signification dans le contexte de l'art profane ou, en ce qui concerne l'abbesse royale Cunégonde, dans celui du mysticisme. À la différence du baiser vertical, bienséant, de la noblesse, la danse instable d'un couple de manants est sculptée sur une miséricorde de l'une des stalles du chœur de la cathédrale de Chichester (ill. 122). Aujourd'hui, nous trouvons attrayants les corps merveilleusement souples

123. Le premier baiser de Lancelot et Guenièvre,
Lancelot-Graal, Amiens, vers 1300. New York, The Pierpont
Morgan Library, MS. 805.6, fol. 67 r°.

124. Le premier baiser de Lancelot et Guenièvre, *Lancelot-Graal*, Artois ou Flandres,
vers 1320. Londres, British Library, Add. MS. 10293, fol. 78 r°.

et élastiques du violoneux et de la danseuse qui se contorsionnent et tournoient pour unir leurs lèvres, mais ces gestes incontrôlés devaient rappeler aux chanoines de la cathédrale, lorsqu'ils s'asseyaient sur eux pendant les offices, la lubricité de ce couple non courtois. Il est fascinant de constater que, si l'on rencontre souvent dans les *pastourelles* (un type de littérature contemporain, où un chevalier fait la cour à une bergère) des unions sexuelles ignorant les barrières sociales, la figuration de telles unions est rare. Dans le domaine visuel, sans doute parce que les images servaient souvent à cimenter des liens sociaux réels, les couples semblent appartenir au même milieu : ils sont soit des nobles soit, comme ici, des vilains frustes et non courtois.

Le plus célèbre premier baiser de la littérature médiévale est celui qu'échangent Lancelot et Guenièvre (ill. 123). Toutefois, dans le texte comme dans l'image, ce baiser clandestin recèle une étrange ambiguïté, puisque Lancelot ne l'obtient que grâce à l'aide de son ami, le prince Galehaut, qui s'est assis entre eux de façon à donner l'impression qu'ils ne font que converser. D'ailleurs, ce n'est pas Lancelot, tremblant et timide, mais Galehaut qui, à maintes reprises, sollicite pour lui un baiser de la reine et encourage son ami à l'embrasser devant lui pour sceller le début de leur amour. C'est le bras de cet entremetteur zélé, et non celui de l'amant, qui entoure le corps de la dame. Ici, la représentation «colle» au texte, qui décrit comment Guenièvre saisit son amant par le menton et l'embrassa un long moment. On connaît de nombreuses interprétations de ce triangle amoureux, allant de la sainte Trinité avec Galehaut dans le rôle de Dieu le Père, à des évocations de luxure

125. *La Création*, *La Chute*, et les baisers des homosexuels, *Bible moralisée*, Paris, vers 1220. Vienne, Österreichische Nationalbibliothek, MS. 2554, fol. 2 r°.

suggérées par le fait qu'il y a plus de deux participants. Une autre interprétation, toutefois, pourrait voir dans cette composition l'écho d'une cérémonie de mariage, où le prêtre occuperait la position centrale tenue ici par Galehaut. Un autre manuscrit du nord de la France (ill. 124) propose une version plus chargée de cet instant. En effet, ici Guenièvre, coincée entre Lancelot et Galehaut qui saisit son Lancelot bien-aimé par le poignet, est la figure centrale s'interposant entre les deux chevaliers qui s'étreignent et semblent, avec leurs larges épaulettes, comme le reflet l'un de l'autre.

Dans une théorie de la dynamique de l'amour courtois, celui-ci est décrit comme «homosocial», c'est-à-dire comme une relation entre des hommes dans une société militaire où la dame ne serait qu'une simple médiatrice, une sorte d'écran sur lequel se projette le véritable désir du jeune homme de s'emparer du pouvoir de son seigneur. Comme l'a écrit Georges Duby : « Servant son épouse, c'était [...] l'amour du prince que les jeunes voulaient gagner.» Ces notions sous-jacentes rendent complexes, mais pas nécessairement sexuelles dans notre acception moderne du terme, ces scènes de désir triangulaire. André Le Chapelain, dont le traité est fondé sur la notion de conflit, affirme que l'amour ne peut exister qu'entre personnes de sexe opposé. Pourtant, on trouve des images d'homosexualité dans l'art dogmatique religieux médiéval et ce, de la façon la plus explicite, dans une importante compilation de la *Bible moralisée*, où l'on voit Adam et Ève, dans un médaillon, «pécher par la bouche» en mangeant la pomme interdite tandis que le médaillon situé en dessous les désigne comme ceux qui ont péché « par le corps et la bouche ». Au premier plan, un clerc et son bien-aimé, coiffé d'un bonnet rond souvent porté dans ce manuscrit par les hérétiques et les juifs, sont allongés sur un lit. Les deux visages masculins se rejoignent dans un tendre regard, le *perversis oculis* du désir visuel qui avait conduit Adam et Ève à goûter au fruit défendu (ill. 125). À leurs côtés, une rare représentation d'un couple de tribades se conforme plus strictement aux conventions de l'art courtois que nous avons retracées – petite tape sous le menton et baiser – alors que le couple mâle s'enlace de façon moins conventionnelle. Même dans leur « péché contre nature », les hommes qui aiment leur propre sexe sont considérés comme différents des femmes qui agissent de même. L'enlumineur de cette image n'a pu imaginer des rapports sexuels entre femmes, d'où leur représentation en termes plus conventionnels. En revanche, il attire l'attention sur le désir physique des homosexuels masculins par de subtiles allusions à la pénétration et à la perversion. Le laïc est allongé sur le clerc tonsuré, mais sa robe largement fendue dans le dos révèle ses sous-vêtements blancs. Cette fente révélatrice, associée à son costume efféminé, indique que c'est lui le sodomite, le partenaire passif des rapports anaux. Des manuels contemporains de confesseurs indiquent que l'on établissait un distinguo entre les rôles actif et passif et que ce dernier était considéré comme le péché le plus sérieux. Ce que nous appelons de nos jours homosexualité n'était pas le « péché contre nature » le plus grave, c'était simplement un péché parmi d'autres qui, selon saint Thomas d'Aquin, incluaient la masturbation et surtout la bestialité. Plus encore que le fait d'avoir des rapports sexuels non procréateurs, l'accouplement d'un homme avec un homme ou d'une femme avec

une femme était considéré comme le rejet de la loi divine. Sur cette page de la *Bible moralisée*, Dieu est en train d'unir les mains d'Adam et Ève en signe de mariage, mais ils sont visuellement séparés, l'homme à droite de Dieu et la femme à gauche, positions qu'ils conserveront même au moment de la Chute représentée en face. Au contraire, les fornicateurs contemporains figurés en dessous mélangent ces rôles et ces positions préétablis, de sorte que les deux femmes s'étreignent sur le côté droit, masculin, tandis que le prêtre et son concubin mâle s'étalent vers le côté gauche, féminin. Exécutées sous contrôle théologique pour les rois de France dans la première moitié du XIIIᵉ siècle, ces quatre grandes versions de la *Bible moralisée* contiennent des milliers d'images pour lesquelles fut élaboré un vocabulaire pictural sophistiqué de façon à faire cohabiter l'amour humain et vil de la chair et l'amour divin pour Dieu.

L'ethos du *Roman de la Rose*, qui fut rédigé à la même époque, est profondément différent ; il s'agit, en effet, d'une véritable encyclopédie des baisers, dont

126. Robinet Testard,
Le dieu d'Amour embrasse l'amant,
Roman de la Rose, France occidentale, vers 1480.
Oxford, Bodleian Library, MS. Douce 195, fol. 15 vᵒ.

bon nombre sont échangés entre personnes du même sexe qui semblent même en éprouver du plaisir. On trouve, dans certains manuscrits illustrés de ce roman, quelques passages où le jeu des personnifications crée des ambiguïtés, notamment le personnage masculin « Bel Accueil » qui est figuré dans des échanges très intimes avec l'amant. Dans un manuscrit de la fin du xve siècle, peint par Robinet Testard, le baiser féodal que donne l'amant au dieu d'Amour diffère du baiser échangé lors des contrats d'inféodation que l'on voit dans des manuscrits antérieurs (ill. 126). Le jeune et beau dieu d'Amour semble montrer trop d'empressement à saisir l'amant, qui raconte qu'il fut très fier lorsque sa bouche baisa la sienne et la grande joie qu'il en éprouva. Comme pour accentuer la puissance de ce désir homosocial masculin, l'artiste a situé la scène dans un enclos intime dont les femmes sont exclues, faisant des deux figures féminines de l'autre côté du mur de simples comparses. Cette miniature illustre l'une des façons dont fonctionnait l'amour courtois en tant que discours entre hommes pour exclure les femmes. En plaçant sa dame sur un piédestal ou à distance, l'amant courtois aurait ainsi eu toute latitude de se consacrer au véritable objet de son désir : les autres chevaliers ou les seigneurs. Le fait que ce magnifique manuscrit de Robinet Testard, où l'on voit l'amant regarder vers l'extérieur de la miniature, ait été exécuté pour un regard féminin, celui de Louise de Savoie, épouse de Charles d'Orléans, ajoute encore à la complexité de ce regard masculin.

« L'acte »

Si l'art de l'amour au Moyen Âge orne souvent de riches objets tels des étoffes et des coffrets offerts publiquement en cadeaux, l'art médiéval du sexe se déploie plus souvent entre les couvertures non du lit,

127. Bartholomeus Anglicus, *Livre des Propriétez des Choses*, Paris, vers 1400. Wolfenbüttel, Herzog-August-Bibliothek. 1.3.5.1 Aug.2 fol. 146 r°.

mais du livre. Une miniature illustrant le dixième chapitre du *Livre des Propriétez des Choses* de Bartholomeus Anglicus restreint très nettement les rapports sexuels au domaine de la procréation et à un espace d'où le couple peut être observé non seulement par nous, spectateurs qui voyons la scène de l'extérieur à travers le mur découpé au premier plan, mais aussi par deux spectateurs qui regardent furtivement par la fenêtre de gauche le lit nuptial (ill. 127). Ces hommes ne sont pas des voyeurs, mais vraisemblablement les pères du couple : ils sont là pour s'assurer que le mariage est bien consommé. La différence fondamentale entre l'acte sexuel tel que nous le concevons aujourd'hui et tel qu'il était compris au Moyen Âge tient au fait que nous le considérons comme un acte intensément privé, personnel et épanouissant, alors qu'à l'époque il s'agissait d'un acte public. Pour les nobles époux, propriétaires d'objets semblables à ceux qui sont décrits dans ce livre, le lit nuptial était un lieu de spectacle public où il fallait prouver à ses parents – qui attendaient souvent pour voir ou entendre l'événement – que le mariage avait été légalement consommé par la pénétration et l'éjaculation masculines. Lorsque l'acte sexuel est représenté dans l'art médiéval c'est rarement un acte d'amour mais plutôt une obligation résultant d'exigences légales ou médicales.

C'est sans doute cet aspect contraignant de l'amour légal qui donnait tant de charme à l'amour illicite et adultère décrit dans les romans. Un volume richement illustré du cycle «Vulgate», ou *Lancelot-Graal* – un vaste récit en prose, divisé en cinq parties, relatant l'épopée arthurienne, qui fut très en vogue auprès de l'aristocratie française du début du XIVe siècle – met l'accent sur les amours adultères de Lancelot et Guenièvre. Cet ouvrage contient trois miniatures figurant leurs relations sexuelles. La première montre Lancelot entrant par effraction dans la chambre de la

129. Lancelot et Guenièvre unis sur un écu, *Lancelot-Graal*, Artois ou Flandres, vers 1320. Londres, British Library, Add. MS. 10293, fol. 90 v°.

reine par une fenêtre munie de barreaux pour passer la nuit avec elle, et les deux autres les montrent au lit. La deuxième de ces scènes ayant été ultérieurement dégradée par un lecteur pudibond, il ne reste que cette image du couple en train de copuler (ill. 128). Les deux corps qui s'unissent sont, comme d'habitude, cachés sous les couvertures. On peut rapprocher cette scène d'une illustration symbolique de l'union des deux amants figurant sur une page précédente du manuscrit, où ils apparaissent sur les deux côtés de «l'écu brisé» qui est présenté à Guenièvre par la Dame du Lac. Cet écu montre un chevalier à gauche et une dame à droite, de part et d'autre d'une fente qui les sépare verticalement (ill. 129). Toutefois, les deux corps sont réunis au milieu par une bande horizontale, décrite dans le texte comme le *bras de la borcle*. Ce n'est que lorsqu'ils auront consommé leur amour et réuni les deux moitiés de l'écu que Guenièvre sera enfin libérée de sa souffrance et trouvera la joie. Cet objet symbolique est introduit dans le récit comme une puissante allégorie de leur future union sexuelle. En outre, il peut montrer ce que la scène ultérieure

128. Lancelot et Guenièvre au lit, *Lancelot-Graal*, Artois ou Flandres, vers 1320. Londres, British Library, Add. MS. 10293, fol. 312 v°.

ne peut faire : l'union de leurs parties génitales. Tenu par deux femmes, l'écu brisé exprime le pouvoir des images à incarner l'union. Il est cent fois plus érotique que l'acte sexuel lui-même, qu'il désigne. Cette héraldique puissante protégera également Lancelot dans ses combats futurs où il « se battra comme un lion », puisque sa virilité a été prouvée par la consommation de son amour avec l'épouse du roi.

Si le cycle arthurien ne représente que rarement l'acte sexuel – et, lorsqu'il le fait, sa représentation symbolique s'avère toujours plus efficace –, c'est en raison des réticences qui entouraient la performance sexuelle. On retrouve ce même état d'esprit dans l'illustration de la copulation qui figure dans *Le Régime du corps* d'Aldobrandino de Sienne (ill. 130). Cet ouvrage – le premier traité d'hygiène et de diététique écrit en langue vernaculaire au Moyen Âge – peut être comparé à un guide moderne de sexologie « grand public », dans la mesure où il fait appel à des associations de textes et d'images pour expliquer à des lecteurs non spécialisés les « vérités » contenues dans un discours « scientifique » plus prestigieux. Une rubrique en lettres d'or annonce que le sujet du septième chapitre est de savoir « comment cohabiter avec une femme ». Le fond, également d'or bruni, est aussi étincelant que celui d'une *Crucifixion* dans une bible contemporaine, si ce n'est qu'ici il sert de faire-valoir à un moment fondamental plutôt que transcendantal. À l'intérieur de la lettrine, des rideaux verts, tirés, permettent de voir un homme et une femme en pleine activité sexuelle. S'enroulant aux bords pour former une sorte de lèvre, ces rideaux symbolisent l'ouverture qu'on ne peut représenter. Le fait que le rideau se confonde avec les cheveux de la femme sur le côté gauche de la lettrine et ne touche jamais la figure masculine renforce cette association entre l'étoffe fendue et la pénétration vaginale. L'acte se déroule,

comme dans la scène où l'on voit Lancelot et Guenièvre faire l'amour, « sous les couvertures ». L'artiste a évoqué d'une main habile les puissants spasmes musculaires des membres par le rythme d'épais traits de plume noirs qui s'entrecroisent sur le lit pour révéler essentiellement les cuisses courbes et massives de la femme. Pourtant le corps dont il s'agit ici, le corps dont la santé doit être préservée selon le texte qui l'accompagne, est masculin.

Cette lettrine commence une longue prescription directement adressée au lecteur mâle : « Celui qui a sens et discernement devrait consacrer son intelligence et tous ses efforts à apprendre comment on doit cohabiter avec une femme, car c'est un moyen capital pour maintenir sa santé et celui qui ne le fait pas modérément a un corps qui n'est bon à rien. » L'auteur poursuit en détaillant les conditions idéales pour le corps masculin, en particulier la *bonne heure*, c'est-à-dire le meilleur moment pour engendrer des enfants. Ce que l'on voit sur cette image n'a rien de commun avec le plaisir. Il s'agit de se maintenir en bonne santé, si l'on est un homme. Le seul corps qui compte est celui du mâle. L'auteur du *Régime* réitère le point de vue aristotélicien et galénique selon lequel toutes les parties du corps masculin fournissent des matériaux pour fabriquer le sperme et que ses veines véhiculent la matière séminale (le *matere*) de son cerveau jusqu'à ses testicules. Le bonnet de nuit de l'homme, blanc et serré, noué sous son menton, est à cet égard un détail important. Il rappelle que le problème majeur du partenaire mâle lors des rapports sexuels était la « perte de chaleur », qui mettait en danger son corps vulnérable. La figure masculine regarde dans le vide, sans expression, comme si elle était essentiellement absorbée par sa tâche. Tout l'accent est mis sur sa performance. Les hommes qui abusent des rapports sexuels, qui sont ivres, qui sont trop

130. Un manuel de sexologie médiéval, Aldobrandino de Sienne, *Le Régime du corps*,
Lille, vers 1285. Londres, British Library, MS. Sloane 2435, fol. 9 v°.

jeunes ou trop vieux, prévient le texte, ne pourront facilement «engendrer des enfants». Une grande partie du chapitre concerne le choix du bon moment : l'homme devait manger certains aliments et bénéficier d'un minimum de repos préalable. Alors que le discours médical recherchait le bon moment en termes d'équilibre humoral du corps, le discours de l'Église concernait le bon moment en termes de calendrier liturgique. La copulation n'était pas autorisée le dimanche, le mercredi et le vendredi, lors de toutes les fêtes religieuses, pendant l'avent et le carême. Elle était interdite pendant la grossesse et après l'accouchement, et Gratien conseillait en outre aux maris de se garder chastes au moins huit jours avant de recevoir l'eucharistie, pour éviter tout risque de contamination. La conception ne pouvait avoir lieu, croyait-on, qu'avec l'embrasement de la chaleur endogène du mâle et l'insémination avec sa graine parfaite, sa «forme» (ou principe substantiel). L'homme plantait sa graine, ou son idée, à l'intérieur de la femme, qui ne jouait aucun rôle actif dans la conception.

Si cette lettrine représente le parfait «aïeul» à l'instant optimal pour la procréation, que dire de la femme qui est sous lui ? Comme son partenaire, ses cheveux sont serrés dans un filet, ce qui indique son statut de femme mariée et légitime l'acte figuré, qui a donc lieu au sein du lit conjugal. Elle regarde son mari et l'enlumineur a fait pointer vers le haut les commissures de sa lèvre inférieure en une ébauche de sourire. Les artistes du XIIIe siècle faisaient souvent appel à de telles expressions de joie non seulement pour les statues des anges, notamment l'*Ange au sourire* de la cathédrale de Reims, mais aussi pour figurer des amants dans des enluminures de manuscrits profanes. Le recours à cette expression implique-t-il qu'elle ressent un plaisir auquel il n'est jamais fait référence dans le texte ? *Le Régime du corps*, à la différence de certains traités médicaux contemporains,

131. L'acte sexuel, avant et après, Aristote,
Historia animalium, livre IX, Paris, vers 1280.
Oxford, Merton College, MS. 271, fol. 65 v°.

ne fait en effet aucune allusion à l'opinion, professée par certains théoriciens médicaux, selon laquelle l'orgasme féminin serait nécessaire pour que la conception ait lieu. Il est bien difficile de savoir si l'enlumineur a esquissé ce sourire féminin pour illustrer cet avis médical ou s'il a simplement voulu se situer dans la tradition misogyne selon laquelle le désir et sa dangereuse insatiabilité doivent être le plus souvent attribués à la femme, du fait de la nécessité de réchauffer son corps froid et humide. Les deux partenaires ont de minuscules touches de rouge sur les joues, pour représenter leur état de bonne santé, mais également, dans ce cas précis, pour indiquer que le sang circule dans leurs veines à ce moment crucial. Si, dans *Le Régime du corps*, l'acte sexuel est structuré de façon à n'avoir aucune des dimensions psychologiques et identitaires qui apparaissent dans tout manuel moderne de thérapie sexuelle, c'est parce que le corps sexuel et ses organes n'étaient pas liés à une identité conservée et exprimée par le sexe et qu'ils étaient considérés comme de vulgaires outils dans une performance essentiellement «masculine».

Il nous faut nous attarder sur un aspect de cette image, dans la mesure où il est construit plutôt qu'inhérent à la culture médiévale. Il est figé et nourri par des représentations et ne doit en aucun cas être considéré comme le reflet d'une «réalité médiévale» quelconque : l'homme est sur la femme. Cette convention picturale – qui puise ses origines dans l'art antique – du corps masculin sur le corps féminin lors de l'acte sexuel était déjà bien établie à l'époque où cet ouvrage fut rédigé. Aristote, dont les écrits récemment traduits avaient été inscrits au programme des études universitaires au cours du XIIIe siècle, fut une source d'inspiration majeure pour Aldobrandino. Dans un manuscrit exécuté pour l'université de Paris vers 1280, une scène marginale illustrant le livre IX de son

132. Des amants réunis en une seule et même personne, *Li Ars d'Amour*, Artois, vers 1300,
Bruxelles, bibliothèque royale Albert Iᵉʳ, MS. 9543, fol. 22 v°.

Historia animalium figure une sorte de séquence «avant et après», à la fois dans la lettrine et dans la marge inférieure, où le couple vêtu – ce qui suggère un coït furtif plutôt qu'un acte légalement reconnu dans le lit conjugal – s'étreint à gauche tandis qu'à droite la femme soigne son bébé près du feu (ill. 131). Si, dans la copulation, le principal souci de l'homme était la qualité de sa propre performance, pour les femmes c'était le plus souvent ce résultat parfois non désiré qui importait. Le feu qui chauffe le nouveau-né à droite symbolise non seulement la chaleur nécessaire à sa conception (le *Régime* explique également qu'il vaut mieux avoir des rapports sexuels lorsque «le corps est chaud plutôt que quand il est froid»),

mais aussi la conviction aristotélicienne selon laquelle le mâle, en tant que principe ardent de la forme, donne la vie, et non pas la femme froide et humide qui, pour sa part, ne fournit que de la matière par son fluide menstruel. Les deux lapins dressés de part et d'autre de cette scène sont une allusion évidente à la stimulation sexuelle et ses conséquences, rejetant dans ces corps animaux toutes les allusions au plaisir.

Des philosophes scolastiques, avec leur amour habituel des schémas classificatoires, ont débattu des avantages et des inconvénients des différentes positions de coït. Au XIIIᵉ siècle, saint Albert le Grand inventoria quatre positions «alternatives» ou dangereuses. Il décrit, outre la position traditionnelle dite

133. L'une des positions prohibées : couvercle d'un coffret en bois montrant un couple sodomite copulant debout, France, XIVe siècle. Paris, musée national du Moyen Âge - Thermes de Cluny.

« naturelle », des positions latérale, ou côte à côte, assise, debout et enfin par-derrière ou *a tergo*. Cette notion de couple copulant debout est sous-jacente dans bon nombre d'images du baiser que nous venons d'évoquer, ainsi que dans l'épisode de l'écu brisé. Une exceptionnelle miniature représentant l'union de deux amants en un seul corps les montre tenant un rouleau, suggérant la légalité de leur union (ill. 132). Elle les transforme aussi en quelque chose de monstrueux. Ici, objet et sujet se confondent, comme cela était d'ailleurs inscrit dans la théorie juridique contemporaine qui stipulait que, selon l'autorité apostolique, le mari et la femme ne possédaient pas leur propre corps mais celui de leur époux. C'était précisément en raison de cette symétrie sexuelle que les deux partenaires pouvaient réclamer la dette conjugale des rapports sexuels, l'impuissance masculine étant l'un des rares motifs permettant à une femme d'obtenir l'annulation du mariage. Pierre Lombard

et d'autres commentateurs scolastiques prétendaient que, contrairement à d'autres domaines de la vie, où le mari dominait sa femme, il y avait, dans les relations sexuelles, égalité des sexes.

On peut voir sur le couvercle d'un petit coffret en bois un exemple rarissime de couple copulant debout (ill. 133), la discrétion du spectateur n'étant jamais réclamée dans l'iconographie médiévale ! La femme se tient devant, ce qui suggère que l'homme la sodomise. C'était la quatrième position, décrite par saint Albert le Grand comme *a tergo* ou par-derrière, celle qui était le plus vivement condamnée. Cette position – encore prohibée de nos jours pour les couples mariés dans certains États des États-Unis d'Amérique – était considérée comme très coupable et non naturelle car elle transformait l'homme en animal. Pourtant, le

134. Le coït, la forge de Nature, *Roman de la Rose*, France, vers 1380. Londres, British Library, MS. Egerton 881, fol. 126 r°.

témoignage des pénitentiels d'une part et des fabliaux d'autre part suggère que le sexe anal était pratiqué par des couples hétérosexuels. Toutefois, pratiquer la sodomie avec son épouse était tout aussi condamnable que de la pratiquer avec une prostituée ou un homme. En fait, c'était moins le sexe du partenaire qui définissait ce qui était « contre nature » que les parties concernées et l'endroit où elles étaient introduites.

Il ne suffisait pas de se servir de l'orifice approprié, le simple fait de mettre la femme « au-dessus » était également envisagé avec horreur par les théologiens et par les médecins, qui pensaient qu'inverser l'écoulement normal du sperme vers le bas pouvait non seulement endommager le fœtus parce que l'utérus est « renversé » mais aussi nuire à l'homme. On pensait d'ailleurs que les enfants conçus au cours de tels rapports porteraient les stigmates de ces positions sexuelles « anormales » ; des maladies telle la lèpre auraient ainsi été la conséquence visible de la souillure du péché sexuel des parents. Inverser l'ordre naturel des choses avait, après tout, amené Dieu à provoquer le Déluge biblique (Rom. I, 26-27) et l'on croyait encore que ses conséquences étaient terribles pour le corps et l'âme de ceux qui cherchaient à prendre du plaisir dans l'expérimentation sexuelle. J'ai rarement vu, dans des enluminures de manuscrits montrant la copulation, une femme représentée « au-dessus », ce qui suggère à quel point cette simple inversion des rôles dans le sexe était taboue. On y fait toutefois allusion dans le thème populaire d'Aristote et Phyllis. Un aquamanile, c'est-à-dire une aiguière, en bronze, figurant la jeune fille montée sur le vieux philosophe sénile, a dû provoquer les rires lors de nombreux banquets (voir ill. 106). D'un bras long et délié, Phyllis flatte la croupe de sa monture et, de l'autre, elle prend une mèche de ses cheveux

pour en faire une corne, le transformant littéralement en un animal, gouverné par son seul corps inférieur, tandis que le philosophe nous regarde avec un sourire un peu perdu. Le fait qu'une telle image qui, à de nombreux égards, parodie l'ethos de l'amour courtois, ait pu trouver sa place sur une table noble est caractéristique de l'évolution des mentalités à l'égard du système courtois que l'on pouvait désormais envisager avec dérision et ironie. Il démontre aussi, s'il en était besoin, que le spectateur médiéval était infiniment plus à l'aise avec des allusions sexuelles qu'avec la représentation de l'acte lui-même, préférant l'allégorie à la réalité de la pénétration.

Les artistes qui illustrèrent la suite du *Roman de la Rose* rédigée par Jean de Meung se trouvèrent confrontés au problème de la réconciliation de l'allégorie verbale avec la réalité tangible de l'image. Dans les pages qui précèdent, l'auteur prête sa voix à Génius qui s'insurge contre le célibat clérical, encourageant ceux « qui n'utilisent pas leur stylet » et laissent rouiller leur enclume ou leur soc à s'élever et labourer. Lorsque cet extrait est illustré, on voit en général ce qui se trouve derrière cette surface allégorique d'écriture masculine, c'est-à-dire sa concrétisation charnelle (ill. 134). Ici, Jean de Meung s'intéresse à la procréation, au fait d'engendrer des héritiers : sa préoccupation principale ne concerne pas les joies du sexe, mais ses résultats ; les artistes se sont donc contentés d'emprunter prosaïquement l'iconographie de la tradition médico-scientifique. L'instant où l'amant cueille enfin sa rose vierge, en fait l'apothéose de ce poème, est figuré d'une façon allégorique beaucoup plus allusive, complexe et multiforme. Vers la fin du roman, une longue digression mythologique raconte l'histoire de Pygmalion. Ce personnage important de l'Antiquité symbolisait, au Moyen Âge, le problème du désir détraqué : un

135. Pygmalion «sculptant» sa bien-aimée, *Roman de la Rose*, Paris, vers 1360.
Bruxelles, bibliothèque royale Albert Ier KBR, MS. 11.187, fol. 12 r°.

artiste qui a fabriqué sa propre amie ! Une enluminure d'un manuscrit bruxellois du XIVe siècle explicite le sens réel de cette fabrication : le marteau et le ciseau expriment le désir phallique de l'artiste non seulement de créer mais aussi de pénétrer sa bien-aimée (ill. 135). Une fois son œuvre achevée, Pygmalion s'agenouilla devant la statue en ivoire, dont il tomba amoureux. Cette scène figure dans le manuscrit de Robinet Testard qui date de la fin du XVe siècle et consacre à l'obsession de l'artiste toute une série de scènes narratives (ill. 136). Les outils de sculpteur éparpillés dans la pièce, ainsi que le tablier du soupirant agenouillé soulignent son statut d'artisan. En effet, à cette époque, Pygmalion aurait été, en tant que sculpteur, considéré plus comme un tra-

vailleur manuel que comme un artiste, ce qui rend encore plus comique son adoration obséquieuse de la noble statue en ivoire. Dans le poème, Pygmalion se compare, à ce stade du récit, à Narcisse qui tomba lui-même amoureux d'une image : « Mais Narcisse ne put étreindre la forme qu'il voyait dans la fontaine », alors que lui-même peut le faire.

Il est assez significatif de noter que Pygmalion commence par vêtir sa statue (ill. 137). Il le fait avec tout le soin d'un couturier :

« De maintes manières, il la revêt de robes faites
à merveille de draps de laine blanche, d'écarlate,
de tiretaine, de vert, de pers et de brunette, doublées richement d'hermine, de vair et de gris ;

136. Robinet Testard, *Pygmalion agenouillé devant la statue qu'il a fabriquée*, *Roman de la Rose*, France occidentale, vers 1480. Oxford, Bodleian Library, MS. Douce 195, fol. 149 v°.

puis il les lui enlève et lui essaie robes de soie, cendaux, mélequins, tabis bleus, vermeils, bis ou jaunes, samits, diapres, camelots. [...] il lui met une guimpe, et par-dessus un voile qui couvre les tempes, mais non la face, car il ne veut pas suivre la coutume des Sarrasins qui cachent sous des étamines le visage de leurs femmes pour que nul passant ne les voie dans la rue, tant ils sont jaloux. [...] pour tenir le collet, il lui baille deux fermaux d'or, et il lui en met encore un autre à la poitrine, et il s'occupe de la ceindre [...] et il pend à la ceinture une aumônière de prix [...]. Et il lui fait une couronne de fleurs [...]. Il lui passe enfin aux doigts des annelets d'or [...]. »

Le fétichisme de ce façonnage de l'objet du désir est emblématique de la création de la plupart des images de corps féminins illustrées dans ce livre qui, comme je l'ai avancé, furent pour la plupart façonnées et élaborées par et pour un regard masculin. Ce n'est qu'après l'avoir vêtue que Pygmalion essaiera

d'avoir des rapports sexuels avec son image, mais il trouvera sa bien-aimée «aussi raide qu'un pieu, et si froide que quand je l'effleure, elle me glace la bouche» (ill. 138). Dans sa miniature, Robinet Testard la montre allongée, tel un cadavre enveloppé d'un linceul, sur le lit, les outils de Pygmalion dépassant à présent de son tablier comme autant de symboles de son désir incontrôlé pour une image inanimée. Pourtant, Vénus exaucera son vœu et, à son retour du temple, Pygmalion trouvera sa statue non seulement vivante mais capable de lui dire : «Ce n'est ni démon ni fantôme, doux ami, c'est votre compagne et tendre amie...»

L'histoire de Pygmalion se présente – nous l'avons déjà signalé – comme une longue digression qui précède, vers la fin du *Roman de la Rose*, la véritable conclusion du poème. Dans certains manuscrits, la dernière miniature du cycle pictural est l'image de Pygmalion façonnant la statue, et non l'éveil à la vie de cette dernière, suggérant à la fois la conclusion sexuelle du poème et l'éternel ensorcellement de l'amant par l'illusion et l'artifice. Cependant, d'autres

137. Robinet Testard, *Pygmalion habille la statue*, *Roman de la Rose*, France occidentale, vers 1480. Oxford, Bodleian Library, MS. Douce 195, fol. 150 r°.

138. Robinet Testard,
Pygmalion tente de faire l'amour avec la statue,
Roman de la Rose, France occidentale, vers 1480.
Oxford, Bodleian Library, MS. Douce 195, fol. 151 r°.

manuscrits poursuivent le récit jusqu'à sa concrétisation : l'attaque du château où la rose de l'amant a été emmurée. Conservé à Valence, un manuscrit du début du XVe siècle fut peint par un enlumineur parisien de talent, qui imagina de rapprocher, sur une surface allégorique pseudo-sacrée, la pénétration sexuelle de l'arrivée d'un pèlerin aux abords d'un sanctuaire (ill. 140) :

« [...] je vins, frais et dispos, m'agenouiller entre les deux beaux piliers, car j'avais grand'faim d'adorer dévotement le sanctuaire. [...] je m'approchai de l'image que je baisai pieusement ; après quoi je voulus mettre dans l'archère mon bourdon auquel pendait mon écharpe. Je crus bien l'y lancer d'emblée, mais je n'y puis parvenir. Il ressort, je le reboute, mais en vain : je sentais au-dedans une palissade que je ne voyais pas [...]. Vous saurez comme je m'y pris pour l'avoir à mon gré. Vous saurez le fait et la manière, afin que, si besoin est, quand la douce saison viendra, seigneurs valets, et qu'il conviendra que vous alliez

cueillir les roses, épanouies ou bien fermées, vous vous y preniez si adroitement que vous ne manquiez pas la cueillette [...]. À la fin, je hochai tant le bouton que j'y répandis un peu de graine [...]. »

La version de cet instant que propose Robinet Testard dans les dernières années du XVe siècle, à une époque où le voile de l'allégorie se déchirait pour laisser transparaître la réalité des représentations « naturalistes », est cependant moins physique (ill. 139). On y voit l'amant en train d'écarter les rideaux du lit, son bâton et son épée à la main, prêt à prendre la rose qui est devenue une femme de chair, exactement comme l'était devenue la statue de Pygmalion. La miniature suivante, la dernière du manuscrit, retombe vraiment dans le banal : elle figure un couple conventionnel, en grande partie caché, en train de faire l'amour, tout habillé, au lit.

Un artiste, connu sous le nom du Maître de Jean de Wavrin, qui travailla à Lille aux environs de 1450-1460, fut un illustrateur merveilleusement inventif.

139. Robinet Testard,
L'amant s'approche enfin du sanctuaire,
Roman de la Rose, France occidentale, vers 1480.
Oxford, Bodleian Library, MS. Douce 195, fol. 155 r°.

140. L'amant pénètre enfin dans le sanctuaire, *Roman de la Rose*, enlumineur parisien,
vers 1410. Valence (Espagne), Bibliothèque de l'université, ms. 387, fol. 146 v°.

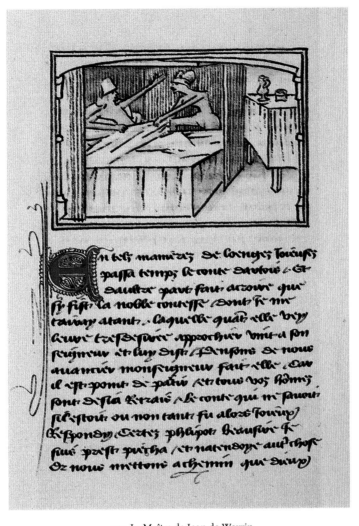

141. Le Maître de Jean de Wavrin.
Le triomphe de la comtesse d'Artois, *Le Livre du très chevalereux comte d'Artois et de sa femme,*
fille du comte de Boulogne, Lille, vers 1460, Papier. Paris, Bibliothèque nationale, MS. fr. 11610, fol. 87 v°.

Il réussit, notamment grâce à l'emploi d'une technique rapide de dessin à la plume exceptionnelle pour l'époque, à s'affranchir de la servitude des conventions. Les illustrations d'un manuscrit intitulé *Le Livre du très chevalereux comte d'Artois et de sa femme, fille du comte de Boulogne* comptent parmi ses œuvres les plus animées. Ce roman raconte l'histoire, en grande partie écrite d'un point de vue féminin, de la jeune comtesse qui, dans le titre, n'est nommée que comme l'épouse d'un homme et la fille d'un autre. N'ayant pu donner d'enfant à son mari, celui-ci l'abandonna, mais elle le poursuivit à la cour de Castille où, déguisée en homme, elle s'approcha de lui en feignant de courtiser la fille du roi, qui était devenue sa maîtresse. C'est ainsi qu'elle put finalement prendre la place de cette jeune femme dans son lit et regagner son amour

142. Martinus Opifex. « Achille atteint sa cible », *Historia Troiana,* vers 1450.
Vienne, Österreichische Nationalbibliothek, Cod. 2773, fol. 164r.

(ill. 141). La rubrique précédant cette image explique : « Comment la comtesse d'Artois coucha avec son mari au lieu de la fille du roy de Castile. » Il n'existe que fort peu d'illustrations contemporaines qui réussissent à communiquer une telle impression de spontanéité, et à montrer une participation féminine active lors d'une rencontre sexuelle. Bien que le moment représenté soit celui où le comte l'accueille de nouveau dans son lit, c'est la dame elle-même qui, relevant les draps avec la même audace que celle dont elle avait fait preuve auparavant en se travestissant en homme, attire la sympathie du lecteur pour son excitation fébrile.

Un autre point de vue très personnel, mais cette fois beaucoup plus masculin, est proposé par un contemporain du maître lillois, un enlumineur connu sous le nom de Martinus Opifex, qui travailla à la cour de l'empereur Frédéric III et mourut en 1456. Martinus était un artiste très idiosyncrasique, fasciné par la sexualité humaine, qu'il illustra dans un certain nombre de traités érudits sur la nature.

Dans une miniature d'un texte, cette fois historique – l'*Historia Troiana* –, Achille, tournant le dos au spectateur, atteint sa cible sous une grande tente dont les lèvres vulvaires s'écartent (ill. 142). C'est l'effacement complet de l'autre, non pas une fusion avec l'objet bien-aimé de son désir mais son recouvrement total, son oblitération. Il n'y a dans cette image aucune référence à une présence féminine, si ce n'est que sa surface figure ses parties génitales de façon provocante. L'espace peint vient se substituer à l'acte même du désir pénétrant au fur et à mesure que nos yeux fouillent plus profondément l'espace et qu'ils se perdent dans des plis qui ressemblent à des fleurs. C'est un artifice que les enlumineurs du *Roman de la Rose* n'ont pas exploité, car ils étaient tenus par la surface de l'allégorie. Martinus Opifex oblige son image à obéir au désir d'une façon qui anticipe l'art des époques ultérieures et, ce faisant, comble en partie le vide ressenti par les sujets mâles si anxieux au moment de passer à l'acte au Moyen Âge.

143. Maître du Livre de Raison,
Des amants non courtois, Allemagne du Sud, vers 1484. Tempera sur panneau,
114 x 80 cm. Gotha, Schlossmuseum.

LE DÉCLIN DE L'AMOUR ET SA RENAISSANCE

L'âge est un obstacle, car passé soixante ans pour un homme, cinquante pour une femme, bien que les rapports amoureux soient encore possibles, les plaisirs qu'ils procurent ne peuvent engendrer l'amour...
André Le Chapelain

Les trois ennemis traditionnels de l'amour – le mariage, la vieillesse et la mort – comme leur équivalent pictural – le frisson froid de la réalité – imprègnent la plupart des images de l'art de l'amour créées à la fin du Moyen Âge. Une peinture attribuée au Maître du Livre de Raison (ill. 143), dont nous avons déjà vu le château de l'Amour mal défendu, est l'une des rares exceptions à cette règle. Cet élégant jeune couple, peint vers 1484, montre que nombre des tropes que nous avons évoqués dans ce livre ont perduré assez longtemps à la Renaissance. Au cours du XVe siècle, l'art s'est mis à considérer l'amour érotique de façon de plus en plus négative non à cause d'une pression croissante de l'Église, qui l'avait toujours condamné, mais plutôt en raison d'une demande croissante d'images émanant d'un public différent. En effet, les commandi-taires bourgeois, endurcis par la guerre, la peste et par une réalité urbaine qui semblait de plus en plus en désaccord avec le modèle courtois, détestaient les anciens idéaux chevaleresques autant qu'ils les singeaient. Bien que le mariage ait été considéré comme l'antidote et l'antithèse de l'amour, de nombreuses œuvres d'art célébrant les mythes de l'amour furent exécutées au Moyen Âge parce qu'elles étaient un moyen d'expression commode pour les cérémonies d'accordailles, ce qui semble être le contexte de cette peinture. Le jeune homme passe son bras autour de la taille de la dame en la regardant tendrement tandis que celle-ci baisse modestement les yeux vers les deux objets qu'elle a en main et qui symbolisent leurs relations. Elle tient, dans la main gauche, une rose sauvage, une églantine, semblable à celles de la couronne florale qui orne la luxuriante chevelure de son compagnon, tandis que, de l'autre main, elle semble palper une résille en or finement ouvragée, appelée *Schnürlin*, en fait un anneau qui maintient les houppes du bonnet posé sur l'épaule du jeune homme. Cette jeune femme, en enchaînant son amant au moyen d'une couronne de fleurs et en lui faisant présent d'un luxueux bijoux de coiffure, ressemble, au premier abord, à l'un des protagonistes des portraits de mariage, symbolisant l'idéal de l'amour courtois dans l'art allemand du Moyen Âge tardif.

Toutefois, les médiévistes ont récemment découvert que ce qui est représenté sur ce panneau n'est pas l'idéal de l'amour courtois, mais au contraire un amour non courtois. Effectivement, il ne représente pas un couple de mariés : il s'agit d'un portrait exécuté pour le comte Philippe von Hanau-Munzenberg (1449-1500) et sa concubine Margret Weiszkircher. L'inscription que l'on lit sur le phylactère de Philippe, « *Un-byllich het Sye es gedan* », suggère la nature illicite de leur union, qui était «contre la coutume» c'est-à-dire «illégale». La réponse de sa bien-aimée, « *Sye hat üch nyt gantz veracht/Dye üch das schnürlin hat gemacht* » le rassure : «Vous avez votre propre amour/Qui a fait ce *Schnürlin* pour vous». Des documents ont révélé que le comte, n'ayant pu trouver une épouse de son rang après le décès de sa première femme en 1477, vivait au grand jour avec cette femme de la bourgeoisie qui lui donna trois enfants.

Faisant fi des conventions sociales, cette peinture a au moins le mérite de la sincérité dans son expression de l'amour ; de surcroît, dans la mesure où elle illustre l'amour en dehors des liens du mariage, on peut même dire qu'il s'agit de l'une des rares œuvres médiévales qui se conforment réellement à l'un des préceptes de l'idéal courtois. Une gravure du Maître ES représentant deux amants montre un jeune homme qui porte également un *Schnürlin* à la mode,

mais ce couple un peu gauche offre un spectacle beaucoup plus affligeant (ill. 144). En effet, tous les anciens symboles de l'amour représentés ici servent surtout à souligner l'embarras de leur situation plutôt qu'à évoquer le potentiel érotique et le plaisir. Ayant mis son faucon de côté, le garçon dégingandé est sur le point de saisir la dame, qui ne le repousse que très légèrement de ses doigts longs et fins. Une épée pend, symbolisant son phallus, et une autre, brisée, gît à terre, sous ses chaussures très allongées. Le petit chien de la dame, que l'on discerne difficilement au premier coup d'œil, s'enroule comme une belette à côté du jeune homme. Le symbole du jardin clos, de la virginité de la jeune fille, est un arbre miniature dans une vasque : qu'il symbolise l'Éden avec son arbre du bien et du mal ou le verger de Déduit du *Roman de la Rose*, il est réduit à l'état d'une plante d'intérieur. Chaque trait de burin, fin et nerveux, expose cruellement ces vauriens à la taille de guêpe, représentants d'une chevalerie de pacotille, aux sarcasmes de toute une classe de marchands bourgeois, élevés dans la crainte de Dieu, qui étaient les

144. Maître ES,
Couple d'amants, vers 1460. Gravure, 13,4 x 16,4 cm.
Londres, British Museum.

acheteurs de ce type d'estampe et devaient se gausser de leur indétermination érotique. Ce couple semble «pris en flagrant délit» au même titre que son homologue du XIIᵉ siècle évoqué au début de ce livre, mais la différence tient au fait que désormais il n'est plus seulement soumis au regard, voire au jugement, de Dieu mais à celui de l'ensemble de la société.

Le développement de la technique de la gravure, avec ses noirs et blancs sévères, joua un rôle capital dans la constitution d'un nouveau public d'amateurs d'art, la classe moyenne montante. Les spectaculaires avertissements que constituait la représentation des vices, sculptés dans la pierre des cathédrales du XIIIᵉ siècle, furent désormais mis «à la portée de tous» grâce à un coût moins élevé. Si la chevalerie était décrépite, il en allait de même des amants. L'iconographie de l'art nordique du XVᵉ siècle est peuplée de couples d'amants insolites, notamment des couples «inégaux», c'est-à-dire mal assortis, où l'un des partenaires est de loin plus âgé que l'autre. André Le Chapelain avait décrit la vieillesse comme l'ennemi de l'amour mais, dans une gravure d'Israël Van Meckenem, l'amour est lié à d'autres vices telles l'avarice et la vanité : en effet, la vieille dame est ici contrainte d'acheter son jeune amant (ill. 145). L'humaniste Érasme, dans son *Éloge de la folie* écrit en 1509, décrit ce type d'union comme une réalité :

«Tel moribond, près de rejoindre les ombres, épouse sans dot un jeune tendron [...]. Mais le plus charmant est de voir des vieilles, si vieilles, si cadavéreuses qu'on les croirait de retour des Enfers, répéter constamment : "La vie est belle !" Elles sont chaudes comme des chiennes ou, comme disent volontiers les Grecs, sentent le bouc. Elles séduisent à prix d'or quelque jeune Phaon, se fardent sans relâche, ont toujours le

145. Israël Van Meckenem,
La Vieille Femme et le Jeune Homme, 1500.
Gravure, 12,1 x 9,53 cm. Londres, British Museum.

miroir à la main, s'épilent à l'endroit secret, étalent des mamelles flasques et flétries, sollicitent d'une plainte chevrotante un désir qui languit [...]»

À la différence d'autres versions de ce sujet illustrées par Lucas Cranach tant en peinture qu'en xylographie, la gravure de Van Meckenem nous montre des amants relativement peu différents. Ils semblent même être le reflet l'un de l'autre, comme si la vieillesse voyait dans le miroir de la luxure son «autre» sexuel mais aussi son propre passé. La dynamique habituelle fonctionnait en sens inverse : les jeunes et beaux jeunes gens devaient avoir constamment à l'esprit leur future décrépitude. Cette attitude macabre est illustrée de la façon la plus éclatante par un «couple d'amants», une

146. *Les Jeunes Amants*. Panneau antérieur, figurant
deux jeunes époux, Allemagne, vers 1470. Huile sur panneau,
62,2 x 36,5 cm. Cleveland, The Cleveland Museum of Art.

double peinture anonyme actuellement séparée mais qui formait autrefois la face et le revers d'une même œuvre. Le devant du panneau figure un jeune couple, dont les deux personnages portent une couronne d'orfèvrerie. Les manches gauches de leur vêtement, en damas identique, indiquent qu'ils se transforment en «un seul corps», tandis que le jeune homme offre une fleur à sa compagne (ill. 146). Le revers du pan-

neau montre *Les Amants trépassés*, leur chair nue putréfiée sur leurs os (ill. 147). Leurs positions sont à présent inversées, l'amant occupe la position «sujet» et regarde vers l'extérieur en signe de pénitence ; honteux, il cache ses parties génitales avec son linceul. Sa compagne décharnée se tient silencieuse et atterrée ; elle est devenue dans la mort le centre d'une épouvantable fascination alors que, dans la vie, elle était

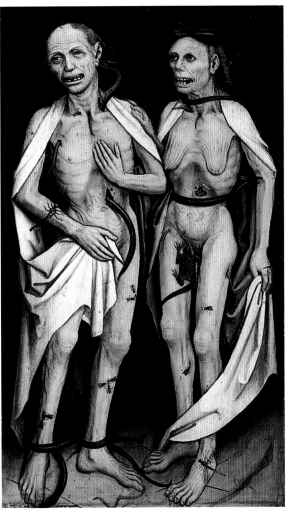

147. *Les Amants trépassés*. Revers du panneau précédent,
Allemagne, vers 1470. Strasbourg,
musée de l'Œuvre Notre-Dame.

celle du désir. Nue, elle reste un objet même dans la mort, eu égard aux gestes de remords de son amant. La réflexion sur la vanité de toute chose était-elle la seule moralité de cette étrange paire de peintures, ou bien symbolisait-elle la future décrépitude de ce jeune couple, ce qui aurait rendu encore plus délectables leur jeunesse et leur beauté ? En effet, le commanditaire de cet étrange *memento mori* a pu contempler la maladie et le déclin qui rongeaient leur chairs. La joie des fiançailles aurait été le revers plutôt que la face de ce panneau, puisqu'en fait la fascination de l'artiste comme celle du commanditaire est focalisée non pas du côté de l'amour, de la jeunesse et de la beauté, qui apparaît comme une patine vide, conventionnelle, mais plutôt de celui de la mort, de la vieillesse et du déclin, qui est une œuvre beaucoup plus dynamique ;

148. Couple d'amants. Sculpture en bois, vers 1500.
Angers, « maison d'Adam », façade.

elle présente, en outre, de nouvelles possibilités pour une exploration publique du moi.

Cet aspect plus ostensible de l'amour, qui apparaît également dans la technique nouvelle de l'impression au XVe siècle, signifie que, dès la fin du siècle, des couples ont commencé à apparaître dans des contextes sociaux plus larges que le contexte étroit des objets d'art de luxe et des manuscrits des cours princières. On peut ainsi voir, à Angers, une maison de marchands datant de la fin du XVe siècle et connue sous le nom de « maison d'Adam ». Elle présente, sculptés de part et d'autre du pilier d'angle, Adam et

Ève, figurés comme premier couple d'époux et premier foyer, ainsi qu'un couple d'amants en costume contemporain tenant la place d'honneur au centre de la façade donnant sur la place Sainte-Croix (ill. 148). À cette époque, les « gens méchaniques » et les travailleurs manuels étaient interdits de port d'armes en ville, c'est pourquoi la longue épée de l'amant constitue vraisemblablement, tout comme son chapeau, un calembour sexuel. Il projette vers l'avant une longue jambe, faisant pendiller ses sabots en bois devant sa maîtresse, à l'attitude réservée, dont il prend la main. À l'instar du berger et de la bergère sculptés qui, autrefois, se trouvaient sur la même façade, et à la différence de l'homme qui expose ses parties génitales au regard des passants de l'autre côté de la maison, le couple sculpté ici personnifie une certaine nostalgie urbaine pour un ancien idéal courtois sublimé qui, en fait, n'exista jamais réellement.

En Italie, l'art de l'amour s'affichait dans la rue à l'occasion des mariages, sous la forme de deux *cassone* généralement achetés par le fiancé, ou par sa famille. Ils servaient à transporter la dot de l'épouse jusqu'à la chambre nuptiale de la future maison du couple, où ils demeuraient après la cérémonie. À Florence, au XVᵉ siècle, l'extérieur de ces grands coffres était souvent orné de scènes de romans et de la mythologie, mais l'intérieur de leurs couvercles figurait parfois le couple de mariés : la mariée totalement nue et endormie sur l'un, son mari, fort légèrement vêtu, éveillé et regardant d'un air triste et songeur (vers elle ?) sur l'autre (ill. 149). Un *cassone*, en parfait état, conservé à Avignon, met l'accent sur la beauté masculine, ce qui a incité certains historiens à penser que ces nus étaient destinés au seul regard de la mariée, pour laquelle ils auraient fait office de talisman, une sorte de promesse de fécondité, lui permettant d'engendrer de beaux enfants. Cette

explication est difficile à admettre dans la mesure où l'homme, nonobstant son élégance, est figuré en tant que sujet et non objet du désir, de la même façon que le poète Pétrarque célèbre le plaisir de regarder sa bien-aimée endormie. Le coffret de la Renaissance, exactement comme ses ancêtres médiévaux, proclamait qu'une mariée était le bien de son mari, au même titre que sa dot, et ce en dépit de l'iconographie du désir ardent pétrarquiste. Des panneaux de *cassone* et des plateaux de naissance qui figurent les *Triomphes de l'amour*, dérivant de six longs poèmes commencés par Pétrarque en 1340, illustrent un aspect encore plus public de l'amour pétrarquiste. Parfois réellement mis en scène lors de fêtes civiques, d'énormes chars transformaient l'amour en un spectacle visible de tous. Bien sûr, il existait en Italie une autre tradition de l'amour, plus profondément personnelle et poétique, magnifiquement illustrée par l'art et la poésie de Michel-Ange, qui développe les idées pétrarquistes pour en faire un mode d'expression de l'amour fortement idiosyncrasique et lyrique, tradition que tous – hommes comme femmes – pouvaient appliquer à des objets de désir, qu'ils soient du sexe opposé ou du même sexe ; elle était enracinée dans des textes néoplatoniciens de la Renaissance

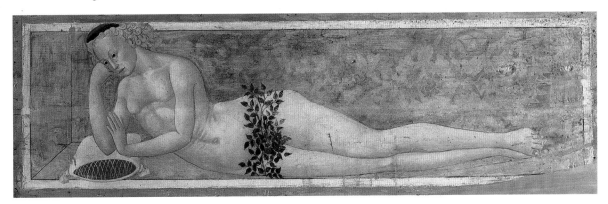

149. Le regard pétrarquiste : le marié peint à l'intérieur d'un couvercle de *cassone*, Florence, vers 1450. Tempera sur bois. Avignon, musée du Petit Palais.

150. Jérôme Bosch,
À l'intérieur de la bulle d'amour, détail du *Jardin des délices*, vers 1510.
Panneau central : 220 x 195 cm. Madrid, Museo del Prado.

dont ne disposaient pas les hommes du Moyen Âge. Cette tradition connut son ultime raffinement avec le portrait Renaissance qui, comme l'a écrit Léonard de Vinci, pouvait présenter directement l'amant à sa bien-aimée ou inversement. En revanche, l'art médiéval de l'amour s'est montré moins soucieux de portraiturer des individus spécifiques que de représenter les conventions, les objets et les images au moyen

desquels les individus pouvaient jouer et concrétiser le désir.

Je pense que Jérôme Bosch (1453-1516) a peint le dernier couple courtois – ou du moins le plus tardif dans la chronologie de ce livre – comme une satire et une critique conscientes de l'ensemble de la tradition dont j'ai suivi le cheminement. Dans les innombrables et merveilleux détails qui constituent le triptyque connu sous le nom de *Jardin des délices*, peint vers la fin de sa vie, l'artiste se révèle encore très imprégné des traditions médiévales. Dans le bassin le plus large représenté dans le panneau central, on voit des hommes et des femmes s'accouplant avec des oiseaux géants, des plantes qui éjaculent, et tout ce qui peut être perverti de façon polymorphe au moyen de la peinture l'est. Un homme et une femme apparaissent dans une bulle (ill. 150) et, à l'intérieur de cette sphère de cristal fêlée, le couple semble comme piégé, pris dans le rêve d'une époque révolue, à côté d'une fraise, signe de gourmandise et de luxure exquise, cachée dans l'ombre près des genoux de l'homme. Ces deux figures sont situées sur la même ligne qu'Adam et Ève sur le panneau de gauche, dit « du Paradis terrestre », comme s'ils représentaient leur descendance, rejouant la scène du péché avec des fruits plus que jamais défendus. En termes médiévaux élémentaires, fondamentaux pour comprendre l'art médico-magico-politique de Bosch, le jeune homme chaud et rougeaud, placé à gauche, regarde toujours béatement la femme blanche et humide, qui détourne le regard. La tyrannie de la convention qui, dans ce système, fait de la femme une image spéculaire, un « regard regardé » ou un objet, les a piégés tous les deux dans le verre de l'erreur et de la distorsion. Ce *Jardin des délices* est plein de ruptures et de déséquilibres troublants qui rendent les symboles de l'amour terrestre plus instables encore qu'ils ne l'étaient dans les ensembles symboliques de l'iconographie médiévale. Le couple de Bosch est beaucoup plus profondément mal assorti que les couples de l'art nordique contemporain mettant en scène des jeunes et des vieux. Nous sommes ici en face de quelque chose qui est, en réalité, très proche de l'amour moderne avec ses fractures freudiennes et son manque lacanien. En effet, dans cette

image, quelque chose ne tourne pas rond, quelque chose ne s'unit pas tout à fait comme il le faudrait sous cette membrane de désir peint. Nous sommes également proches de ce que Léonard de Vinci, un contemporain de Bosch, écrivait lorsqu'il prônait la supériorité de la peinture sur la poésie, affirmant que si le poète prétend qu'il peut allumer chez les hommes la flamme de l'amour, le peintre a le pouvoir d'en faire autant, si ce n'est davantage, car il place devant les yeux de l'amant l'image même de l'objet bien-aimé, à laquelle l'amant s'attache souvent, l'embrassant et lui parlant. Dans le panneau de Bosch, là où la main masculine pénètre le corps de la bien-aimée à l'intérieur de la membrane de la bulle, ou de la surface fêlée du cristal, à l'endroit exact où sa main droite traverse son objet, l'artiste a intentionnellement introduit une distorsion optique de manière que le torse de la femme, tel un objet vu sous l'eau, soit déporté de quelques millimètres. La femme avait toujours été, dans le discours médiéval misogyne, un homme difforme, une créature inférieure, voire monstrueuse, mais ici elle est visiblement présentée comme discontinue : comme l'impossible objet du désir, un objet qui ne « s'aligne » pas comme cela devrait être, mais flotte indistinctement, telle une illusion d'optique. Pétrarque lui-même pensait que l'amour pouvait amener un œil sain à voir de travers, or c'est précisément cela que Bosch représente, obligeant chaque spectateur du panneau à voir de travers. Le peintre fait référence à sa propre expérience inquiète, qui incarne le mythe non de la statue de Pygmalion, mais d'une surface à deux dimensions à jamais insaisissable. La main qui crée l'objet peint n'est jamais sûre que sa création sera palpable. Dans ce dernier détail du désir, toujours inassouvi, l'objet féminin sans cesse recherché à tâtons par un sujet masculin, l'art de l'amour est en fait devenu l'art de la peinture.

RÉFÉRENCES BIBLIOGRAPHIQUES

INTRODUCTION :
LES RELIQUES PERDUES DE L'AMOUR

Toutes les citations du traité d'André Le Chapelain sont extraites de la traduction de Claude Buridant : André Le Chapelain, *Traité de l'amour courtois*, introduction, traduction et notes de Claude Buridant (Paris, 1974). Il n'existe aucun recueil global des thèmes profanes de l'amour dans l'art médiéval, mais parmi les ouvrages généraux utiles on peut citer : Raimond Van Marle, *Iconographie de l'art profane au Moyen Âge et à la Renaissance*, 2 vol. (La Haye, 1931-1932) ; D. D. R. Owen, *Noble Lovers* (New York, 1975) ; et, plus récemment, Markus Müller, *Minnebilder. Französische Minnendarstellungen des 13. und 14. Jahrhunderts* (Vienne, 1996), qui comporte une excellente bibliographie. Les théories relatives aux origines et à l'historique de «l'amour courtois» sont discutées in Roger Boase, *The Origins and Meaning of Courtly Love: A Critical Study of European Scholarship* (Manchester, 1977) et, pour le contexte allemand, on pourra consulter Joachim Bumke, *Höfische Kultur, Literatur und Gesellschaft im hohen Mittelalter* (Munich, 1986). Pour le contexte du XIIᵉ siècle des images dont il est question dans ce chapitre, on se reportera à John C. Moore, *Love in Twelfth-Century France* (Philadelphie, 1972), et Georges Duby, *Mâle Moyen Âge* (Paris, 1988). Pour les troubadours, voir René Nelli, *Troubadours et trouvères* (Paris, 1979) ; Linda M. Patterson, *The World of the Troubadours* (Cambridge, 1993) ; et F. R. P. Akehurst et Judith M. Davis (sous la dir. de), *A Handbook of the Troubadours* (Berkeley CA, 1995). Parmi les importantes études littéraires récentes, citons : Sarah Kay, «The Contradictions of Courtly Love and the Origins of Courtly Poetry: The Evidence of the *Lauzengiers*», in *Journal of Medieval and Early Modern Studies*, vol. XXVI (1996), p. 209-255 ; Simon Gaunt, *Gender and Genre in Medieval French Literature* (Cambridge, 1995) ; et Michel Zink, «Un nouvel art d'aimer», in *L'Art d'aimer au Moyen Âge* (Paris, 1997), p. 9-70.
Pour une excellente introduction à un certain nombre des objets dont il est question dans ce chapitre, voir John Cherry, *Medieval Decorative Art* (Londres, 1991). Le coffret de Limoges est étudié dans l'ouvrage de Marie-Madeleine Gauthier, *Émaux méridionaux. Catalogue international de l'Œuvre de Limoges*, vol. I : *L'Époque romane* (Paris, 1987), p. 160-163, et dans celui de Müller, *Minnebilder*, p. 59-73. Pour le coffret de Vannes, voir Gérard J. Brault, «Le coffret de Vannes et la légende de Tristan au XIIᵉ siècle», in *Mélanges offerts à Rita Lejeune*, vol. I (Paris, 1969), p. 653-668. Pour l'iconographie de l'amour sur les cachets, on se reportera aux études de Brigitte Bedos Rezak, notamment «Medieval Seals and the Structure of Medieval Society», in *The Study of Chivalry: Resources and Approaches*, sous la dir. de Howell Chickering et Thomas H. Seiler (Kalamazoo, MI, 1988), p. 313-373. Le coffret «Forrer» et la légende de Tristan sont examinés dans l'étude classique de Roger Sherman Loomis et Laura Hibbard Loomis, *Arthurian Legends in Medieval Art* (2ᵉ éd., New York, 1975), p. 43-44, et par Michael Curschmann, «Images of Tristan» in *Gottfried von Strassburg and the Medieval Tristan Legend*, sous la dir. d'Adrian Stevens et Roy Wisby (Rochester, NY, 1990). Pour une nouvelle interprétation de la scène érotique de la «tapisserie de Bayeux», voir Gerald A. Bond, *The Loving Subject: Desire, Eloquence, and Power in Romanesque France* (Philadelphie, 1996), p. 19-40. L'aumônière de Chelles est étudiée dans le catalogue de l'exposition *Tissu et vêtement : 5 000 ans de savoir-faire*, Musée archéologique départemental du Val-d'Oise (Guiry-en-Vexin, 1986), p. 153-155. Pour le miroir de Francfort, on se reportera au catalogue de l'exposition *The Year 1200* (The Metropolitan Museum of Art, New York, 1970), p. 105-106, et à Heinrich Kohlhausen, «Das Paar vom Bussen», in *Festschrift Friedrich Winkler* (Berlin, 1959), p. 29-48. Le catalogue de l'exposition *The Bride in the Enclosed Garden* (Galerie nationale de Prague, 1996) est une excellente introduction au Cantique des cantiques. Un fac-similé des *Carmina Burana* existe, publié sous la dir. d'A. Hilka, O. Schumann et B. Bischoff, 3 vol. (1930-1970), ainsi qu'une édition française avec présentation et traduction d'É. Wolf (Paris, 1995).

CHAPITRE UN : LES REGARDS DE L'AMOUR

Il la regarde

Les théories générales concernant l'amour et la vue sont étudiées in Ruth H. Kline, «Heart and Eyes», in *Romance Philology*, vol. XXV (1972), p. 263-297, et

A. C. Spearing, *The Medieval Poet as Voyeur: Looking and Listening in Medieval Love-Narratives* (Cambridge, 1993). Les manuscrits de Machaut sont étudiés *in* François Avril, *L'Enluminure à la cour de France au XIVᵉ siècle* (Paris, 1978), et les regards sexués dans l'enluminure des manuscrits *in* Brigitte Buettner, « Dressing and Undressing Bodies in Late Medieval Images », in *Kunstlerischer Austausch/Artistic Exchange : Akten des XXXVIII. internationalen Kongresses für Kunstgeschichte* (Berlin, 1993), p. 383-392. Le *Chansonnier* de la Pierpont Morgan Library est étudié *in* Sylvia Huot, « Visualization and Memory: The Illustration of Troubadour Lyric in a Thirteenth-Century Manuscript », in *Gesta*, vol. XXXI (1992), p. 3-14. Pour le mystérieux livre de modèles de la Pierpont Morgan Library, on consultera R. W. Scheller, *Exemplum: Model-Book Drawings and the Practice of Artistic Transmission in the Middle Ages, ca. 900-1470* (Amsterdam, 1995), et Albert Châtelet, « Un artiste à la cour de Charles VI. À propos d'un carnet d'esquisses du XIVᵉ siècle conservé à la Pierpont Morgan Library », in *L'Œil*, vol. CCXVI (1972), p. 16-21. Le plateau de naissance du Louvre est étudié par Eugene B. Cantelupe, « The Anonymous *Triumph of Venus* in the Louvre », in *Art Bulletin*, vol. XLIV (1963),p. 61-65.

Elle le regarde

Pour un fac-similé du manuscrit de Berlin, voir : Heinrich von Veldecke, *Eneide : Die Bilder der Berliner Handschrift*, sous la dir. d'Albert Boeckler (Leipzig, 1939). Pour le public féminin, voir James A. Schultz, « Bodies That Don't Matter: Heterosexuality Before Heterosexuality in Gottfried's *Tristan* », in *Constructing Medieval Sexuality*, sous la dir. de Karma Lochrie, Peggy McCracken et James A. Schultz (Minnesota, 1997), p. 91-111, et Louise Olga Fradenburg, *City, Marriage, Tournament: Arts of Rule in Late Medieval Scotland* (Madison, WI, 1991). Le codex Manesse est étudié dans deux importants catalogues d'exposition : Elmar Mittler et Wilfred Werner, *Codex Manesse : Texte, Bilder, Sachen* (Universitätsbibliothek Heidelberg, 1988) et Claudia Brinkler et Dione Flühler-Kreis, *Die Manessische Liederhandschrift in Zürich* (Schweizerisches Landesmuseum, Zurich, 1991). Pour l'amour mystique de la mariée et sa visualisation, on se reportera à Jeffrey F. Hamburger, *The Rothschild Canticles: Art and Mysticism in Flanders and the Rhineland circa 1300* (New Haven et Londres, 1990).

Qui les regarde ?

L'essai classique d'Erwin Panofsky est « Blind Cupid », in *Studies in Iconology: Humanistic Themes in the Art of the Renaissance* (Oxford, 1939). Thibaud, Messire, *Roman de la Poire*, sous la dir. de Christiane Marchello-Nizia (Paris, 1984). Pour Narcisse, voir Christelle L. Baskins, « Echoing Narcissus in Alberti's *Della Pittura* », in *Oxford Art Journal*, vol. XVI (1993), p. 25-33. Pour la dame à la licorne, voir Margaret B. Freeman, *The Unicorn Tapestries* (New York, 1976) ; A. Erlande-Brandenburg, *La Dame à la Licorne* (Paris, 1989) ; Jean-Pierre Jossua, *La Licorne : images d'un couple* (Paris, 1994) ; et Fabienne Joubert, *La Tapisserie médiévale au musée de Cluny* (Paris, 1988), p. 66-84.

CHAPITRE DEUX : LES CADEAUX DE L'AMOUR

Le miroir et le peigne

En ce qui concerne la sexualisation du miroir, voir Françoise Frontisi-Ducroix et Jean-Pierre Vernant, *Dans l'œil du miroir* (Paris, 1997) ; John B. Friedman, « L'iconographie de Vénus et de son miroir à la fin du Moyen Âge », in *L'Érotisme au Moyen Âge*, sous la dir. de B. Roy (Montréal et Paris, 1971), p. 51-81 ; Ingeborg Krueger, « Glasspiegel im Mittelalter : Fakten, Funde und Fragen », in *Bonner Jahrbücher des Rheinischen Landesmuseums in Bonn*, vol. CXC (1990), p. 233-320 ; et Herbert Grabes, *Speculum, Mirror und Looking-Glass* (Tübingen, 1973). Pour les ivoires, l'ouvrage fondamental reste Raymond Kœchlin, *Les Ivoires gothiques français* (Paris, 1924, réimpression 1968), mais on pourra consulter le catalogue d'exposition plus récent : Peter Barnett, *Images in Ivory: Precious Objects of the Gothic Age* (Detroit Institute of Arts, 1997). Pour « His wyfe es whitte as walles bone », voir Walter Clyde Curry, *The Middle English Ideal of Personal Beauty; as found in the Metrical Romances, Chronicles and Legends of the XIII, XIV and XV Centuries* (Baltimore, 1916), mais pour une étude plus récente relative aux cosmétiques on se reportera à Christine Martineau-Genieys, « Modèles, maquillages et misogynie à travers les textes littéraires français du Moyen Âge», in *Les Soins de beauté : Actes du IIIᵉ colloque international à Grasse* (Nice, 1987), p. 31-50. Les couronnes de fleurs sont étudiées par Alice Planche *in* «La parure du chef : les chapeaux de fleurs», *Razo*, vol. VII (Nice, 1987), p. 133-144.

La ceinture et la bourse

En ce qui concerne les ceintures, la meilleure analyse est celle de Ronald W. Lightbown, *Mediaeval European Jewellery with a Catalogue of the Collection in the Victoria and Albert Museum* (Londres, 1992), p. 306-340, mais on pourra également consulter Ilse Fingerlin, *Gürtel des hohen und späten Mittelalters* (Munich, 1971) et Verena Kessel, «Studien zu Darstellungen von Taschen und Beuteln im 14. und 15. Jahrhundert», in *Jahrbuch des Museums für Kunst und Gewerbe Hamburg*, vol. III (1984), p. 63-78. Pour les renseignements sur les aumônières je remercie Nancy E. Gardner, qui prépare, sous ma direction, une thèse de doctorat sur ce sujet. En ce qui concerne l'emploi des lacs d'amour et des lettres, voir Jean-Pierre Jourdain, «La lettre et l'étoffe : étude sur les lettres dans le dispositif vestimentaire à la fin du Moyen Âge», *Médiévales*, vol. XXIX (1995), p. 23-46. Pour une nouvelle approche du costume, voir Odile Blanc, *Parades en parures : l'invention du corps de mode à la fin du Moyen Âge* (Paris, 1996).

Le coffret et la clé

Le coffret en ivoire du British Museum est étudié dans *Les Fastes du gothique. Le siècle de Charles V*, Paris, Galeries nationales du Grand Palais (Paris, 1981), n° 127. Pour les coffrets allemands, voir Heinrich Kohlhaussen, *Minnekästchen im Mittelalter* (Berlin, 1928) ; le catalogue de l'exposition *The Secular Spirit: Life and Art at the End of the Middle Ages* (The Metropolitan Museum of Art, New York, 1975) ; et Timothy Husband, *The Wild Man: Medieval Myth and Symbolism*, The Metropolitan Museum of Art (New York, 1980), n° 16. Les coffrets en cuir sont décrits *in* Günter Gall, *Leder im europäischen Kunsthandwerk* (Brunswick, 1965), et John Cherry, «The Talbot Casket and Related Late Medieval Leather Caskets», in *Archaeologia*, vol. CVII (1982), p. 131-140. Pour une analyse intéressante des coffrets par rapport à l'offrande de cadeaux, on se reportera à Susan L. Smith, *The Power of Women: A Topo in*

Medieval Art and Literature (Philadelphie, 1995), p. 137-191. Une étude exemplaire d'une image problématique est celle de Donal Byrne, «A 14th-Century French Drawing in Berlin and the *Livre du Voir Dit* of Guillaume de Machaut», *Zeitschrift für Kunstgeschichte*, vol. XLVII (1984), p. 70-81. La claustration des femmes est étudiée par Carla Cassagrande, «La femme gardée», *in Histoire des femmes en Occident*, vol. II : *Le Moyen Âge*, sous la dir. de Georges Duby et Michelle Perrot (Paris, 1991).

CHAPITRE TROIS : LES LIEUX DE L'AMOUR

Le jardin clos

Paul F. Watson, *The Garden of Love in Tuscan Art of the Early Renaissance* (Philadelphie, 1979), mais pour une nouvelle datation des fresques Davanzati, voir Maribel Königer, «Die Profanen Fresken des Palazzo Davanzati in Florenz. Private Repräsentationen zur Zeit der Internationalen Gotik», in *Mitteilungen des Kunsthistorischen Institute in Florenz*, vol. XXXIV (1990) ; Marilyn Stokstad et Jerry Stannard, *Gardens of the Middle Ages* (Lawrence, KA, 1983) ; *Medieval Gardens*, sous la dir. d'Elisabeth MacDougal (Dumbarton Oaks, Washington, DC, 1986) ; *Der Garten von der Antike bis zum Mittelalter*, sous la dir. de M. Carrol-Spillecke (Mayence, 1996) ; *Der Garten der Lüste : Zur Deutung des Erotischen und Sexuellen bei Künstlern und ihren Interpreten*, sous la dir. de Renate Berger et Daniela Hammer-Tugendhat (Cologne, 1985).

La fontaine de Jouvence

Anna Rapp, *Der Jungbrunnen in Literatur und bildener Kunst des Mittelalters* (Zurich, 1976) ; pour le Castello di Manta, voir Steffi Roettgen, *Fresques italiennes de la Renaissance, 1400-1470* (Paris, 1996), p. 42-60 ; Philippe Verdier, «Women in the Marginalia of Gothic Manuscripts and Related Works», in *The Role of Women in the Middle Ages*, sous la dir. de R. T. Morewedge (Binghampton, NY, 1975) ; Hana Hlaváčková, «Courtly Body in the Bible of Wenceslas», in *Kunstlerischer Austausch/ Artistic Exchange : Akten des XXXVIII. internationalen Kongresses für Kunstgeschichte* (Berlin, 1993), p. 371-379.

Le château assiégé

Roger Sherman Loomis, «The Allegorical Siege in the Art of the Middle Ages», in *Journal of the Archaeological Institute of America*, vol. XXIII (1919), p. 255-269 ; Heather Arden, «The Slings and Arrows of Outrageous Love in the *Roman de la Rose*», in *The Medieval City under Siege*, sous la dir. d'Ivy A. Corfis et Michael Wolfe (Woodbridge, Suffolk, 1996), p. 191-205 ; et Suzanne Lewis, «Images of Opening, Penetration, and Closure in the *Roman de la Rose*», in *Word and Image*, vol. VIII (1992), p. 215-242. Pour le Maître du Livre de Raison, voir le catalogue de l'exposition *Livelier than Life: The Master of the Amsterdam Cabinet or the Housebook Master, ca. 1470-1500*, sous la dir. de J. P. Filedt Kok (Amsterdam, 1985).

CHAPITRE QUATRE : LES SIGNES DE L'AMOUR

La Chasse

Mira Friedman, «The Falcon and the Hunt: Symbolic Love Imagery in Medieval and Renaissance Art», in *Poetics of Love in the Middle Ages: Texts and Contexts* (George Mason University, 1989), p. 157-175 ; Marcelle Thiébaux, *The Stag of Love : The Chase in Medieval Literature* (Londres, 1974) ; Christian Antoine de Chamerlat, *La Fauconnerie et l'art* (Courbevoie, 1986), mais l'étude la plus complète est celle de Baudouin Van der Abeele, *La Fauconnerie dans les lettres françaises du XIIᵉ au XIVᵉ siècle* (Louvain, 1990). On pourra aussi consulter Malcolm Jones, «Folklore Motifs in Late Medieval Art iii: Erotic Animal Imagery», in *Folklore*, 102 (1991), p. 192-219. Pour les anneaux d'amour, voir John Cherry, «Medieval Rings», in *Rings Through the Ages*, sous la dir. d'Anna Ward, Charlotte Gere, et Barbara Cartlidge (Londres, 1980), n° 198. Anna Rapp et Monica Stucky-Schürer, *Zahm und Wild : Basler und Strasburger Bildteppiche des 15. Jahrhunderts* (Mayence, 1990), p. 156-157 ; Richard de Fournival, *Li Bestiaires d'Amours di Maistre Richart de Fornival e li Response du Bestiaire*, sous la dir. de Cesare Segre (Milan et Naples, 1957) ; et Helen Solterer, «Letter Writing and Picture Reading: Medieval Textuality and the *Bestiaire d'Amour*», in *Word and Image*, vol. V (1989), p. 131-147.

La rose

Jack Goody, *The Culture of Flowers* (Cambridge, 1993) et Bernhardt Heinz-Mohr, *Die Rose : Entfaltung eines Symboles* (Munich, 1986). Le petit livre de poèmes d'amour de Pierre Sala est étudié in *Renaissance Painting in Manuscripts: Treasures from the British Library* (New York, 1983), p. 169-174, et par François Avril et Nicole Reynaud, *Les Manuscrits à peintures en France, 1440-1520* (Paris, 1993), p. 207-208. Pour la tapisserie figurant la cueillette des roses, voir Adolfo Salvatore Cavallo, *Medieval Tapestries in the Metropolitan Museum of Art* (New York, 1995).

Le Cœur

F. Unterkircher, *King René's Book of Love: Le Cuer d'Amours Espris* (New York, 1975) ; Marie-Thérèse Gousset, Daniel Poirion et Franz Unterkircher, *Reproduction intégrale en fac-similé des miniatures du codex Vindobonensis 2597 de la Bibliothèque nationale de Vienne* (Paris, 1981) ; Alcuin Blamires, «The "Religion of Love" in Chaucer's *Troilus and Criseyde* and Medieval Visual Art», in *Word and Visual Imagination: Studies in the Interaction of English Literature and the Visual Arts*, sous la dir. de Karl Josef Höltgen, Peter M. Daly et Wolfgang Lottes (Erlangen, 1988), p. 11-31. Un bon recueil d'essais est *Le «Cuer» au Moyen Âge (Réalié et Senefiance)*, (Aix-en-Provence, 1991). La peinture de Leipzig est bien décrite in Brigitte Lymant, «Entflammen und Löschen : Zur Ikonographie des Liebezaubers vom Meister des Bonner Diptychons», *Zeitschrift für Kunstgeschichte*, vol. LVII (1994), p. 111-122.

CHAPITRE CINQ : LA FINALITÉ DE L'AMOUR

Le toucher

Il existe une littérature abondante concernant les gestes sacrés dans l'art médiéval, mais fort peu d'auteurs ont étudié les gestes courtois ; voir cependant Jacques Le Goff, «Les gestes symboliques de la vassalité», in *Pour un autre Moyen Âge : temps, travail et culture en Occident* (Paris, 1977), et Jean-Claude Schmitt, *La Raison des gestes dans l'Occident médiéval* (Paris, 1990). La tapisserie de Nuremberg est décrite in Betty Kurth, *Die deutschen Bildteppiche des*

Mittelalters, 3 vol. (Vienne, 1926), pl. 108-109. Pour les scènes érotiques dans les marges de manuscrits gothiques, voir Lillian Randall, *Images in the Margins of Gothic Manuscripts* (Berkeley, CA, 1966) et Michael Camille, *Image on the Edge: The Margins of Medieval Art* (Londres, 1992 ; traduction française, B. et J.-Cl. Bonne, *Images dans les marges. Aux limites de l'art médiéval*, Paris, 1997).

Le baiser

Nicholas James Perella, *The Kiss Sacred and Profane: An Interpretative History of Kiss Symbolism and Related Religo-Erotic Themes* (Los Angeles, 1969) ; Michael Camille, « Gothic Signs and the Surplus: The Kiss on the Cathedral », *Yale French Studies: Contexts: Style and Value in Medieval Literature* (New Haven, 1991), p. 151-170 ; Yannick Carré, *Le Baiser sur la bouche au Moyen Âge : rites, symboles, mentalités, à travers les textes et les images, XIe-XVe siècles* (Paris, 1992) ; Alison Stones, « Illustrating Lancelot and Guinevere », in *Lancelot and Guinevere : A Casebook*, sous la dir. de Lori J. Walters (New York, 1996), p. 125-157.

L'acte

James A. Brundage, « Let Me Count the Ways: Canonists and Theologians Contemplate Coital Positions », in *Journal of Medieval History*, vol. X (1984), p. 81-93 ; Michael Camille, « Manuscript Illumination and the Art of Copulation », in *Constructing Medieval Sexuality*, sous la dir. de J. Schultz, K. Lochrie et Peggy McCracken (Minnesota, 1998), p. 58-90 ; Malcolm Jones, « Sex and Sexuality in Late Medieval and Early Modern Art », in *Frühneuzeit-Studien i : Privatisierung der Trieber* (Vienne, 1994), p. 187-265. Pour les rapports entre amour, sexualité et médecine, voir Danielle Jacquart et Claude Thomasset, *Sexualité et savoir médical au Moyen Âge* (Paris, 1985), et l'excellente étude illustrée de Mary Frances Wack, *Lovesickness in the Middle Ages: The Viaticum and Its Commentaries* (Philadelphie, 1990) ; Gabriele Bartz, Alfred Karnein et Claudio Lange, *Liebesfreuden im*

Mittelalter : Kulturgeschichte des Erotik und Sexualität in Bildern und Dokumenten (Stuttgart, 1994) ; James A. Brundage, *Law, Sex and Christian Society in Medieval Europe* (Chicago, 1987) ; John W. Baldwin, *The Language of Sex: Five Voices from Northern France Around 1200* (Chicago, 1994) ; *Handbook of Medieval Sexuality*, sous la dir. de Vern L. Bullough et James A. Brundage (New York, 1996). L'étude la plus complète du thème d'Aristote et Phyllis se trouve in Susan L. Smith, *The Power of Women: A Topo in Medieval Art and Literature* (Philadelphie, 1995) ; pour l'homosexualité dans l'art médiéval, voir John Boswell, *Christianity, Social Tolerance, and Homosexuality* (Chicago, 1980 ; traduction française, A. Tachet, *Christianisme, tolérance sociale et homo-sexualité. Les homosexuels en Europe occidentale des débuts de l'ère chrétienne au XIVe siècle*, Paris, 1985) et Silke Tammen, « Bilder der Sodomie in der Bible moralisée », *Frauenkunstwissenschaft*, vol. XXI (1996), p. 30-48. Maître Jean de Wavrin est étudié in Avril et Raynaud, *Les Manuscrits à peintures*, p. 98-100. Pour Martinus Opifex, voir Charlotte Ziegler, *Martinus Opifex : Ein Hofminiator Friedrichs III* (Vienne, 1984).

ÉPILOGUE : LE DÉCLIN DE L'AMOUR ET LA RENAISSANCE DE L'AMOUR

Je ne peux faire référence qu'à quelques études qui sont fondamentales pour les œuvres spécifiques brièvement abordées ici : Daniel Hess, *Das Gothaer Liebespaar : Ein ungleiches Paar im Gewand höfischer Minne* (Francfort-sur-le-Main, 1996) ; Keith P. Moxey, « Master ES and the Folly of Love », *Simiolus*, vol. XI (1980), p. 125-148 ; le catalogue de l'exposition *Images of Love and Death in Late Medieval and Renaissance Art* (University of Michigan Museum of Art, 1975) ; Alison G. Stewart, *Unequal Lovers: A Study of Unequal Couples in Northern Art* (New York, 1978) ; *Amour, mariage et transgressions au Moyen Âge*, sous la dir. de D. Buschinger et A. Crépin (Göppingen, 1984) ; Linda Seidel, *Jan Van Eyck's Arnolfini Portrait: Stories of an Icon* (Cambridge, 1993).

CRÉDITS PHOTOGRAPHIQUES

Les collections sont indiquées dans les légendes des illustrations. Les sources des illustrations qui ne sont pas fournies par les musées ou les collections, les données supplémentaires et les crédits du copyright sont indiqués ci-dessous. Les numéros correspondent aux numéros des illustrations sauf indication contraire.

page 6. © Museo del Prado, Madrid, tous droits réservés

1. © British Museum, Londres
2. © Paul M. R. Maeyaert, Mont de l'Enclus-Orroir, Belgique
4. © British Museum, Londres
6. © Paul M. R. Maeyaert
7. © British Museum, Londres # MLA 1947,7-6,1
9. © Musée de Chelles, photographes E. Mittard et N. Georgieff
10. Photo Stuart Michaels
12. Musée de Cambrai, photo Claude Therier
14. By permission of the Provost and Fellows of, King's College, Cambridge
16. Metropolitan Museum of Art, New York, The Cloisters Collection, Rogers Fund and Exchange, 1950. Photographie © 1990 Metropolitan Museum of Art
17, 18, 19, 20. Cliché Bibliothèque nationale de France, Paris
21, 22. Pierpont Morgan Library, Art Resource, New York
23. Musée du Louvre # RF 2089 – RMN, Paris, ©Gérard Blot
25. © British Museum, Londres # MLA 56,6.23,166
28. Cliché Bibliothèque nationale de France, Paris
29. Musée national du Moyen Âge - Thermes de Cluny # 9191, © RMN, Paris
30. INDEX/Pineider, Florence
31. Musée national du Moyen Âge - Thermes de Cluny # 17506, © RMN, Paris
32. INDEX, Florence
33. © British Library, Londres
34. Charles Potter Kling Fund, courtesy the Museum of Fine Arts, Boston # 68.114
36. Musée national du Moyen Âge - Thermes de Cluny # 10836, © RMN, Paris
40. © British Museum, Londres # 1856, 6-23,166
41, 42. V&A Picture Library, Londres # A.560-1910
43. Cliché Bibliothèque nationale de France, Paris

45. INDEX/Gonella, Florence
47. Musée du Louvre # OA 7505, © RMN, Paris
48. Statens Historiska Museum, Stockholm n# 6849:81
49. © Cleveland Museum of Art, Ohio, gift of the John Huntington Art and Polytechnic Trust, 1930.742
50. © British Museum, Londres # MLA 63,5.1,1
51. Cliché Bibliothèque nationale de France, Paris
52. Museum für Angewandte Kunst, Cologne # A 318
53. Metropolitan Museum of Art, gift of George Blumenthal, 1941 # 41.100.194
54. Staatliche Museen Preußischer Kulturbesitz, Kupferstichkabinett, Berlin # 3202, photo Jörg P. Anders
55. Musée national du Moyen Âge - Thermes de Cluny # 10834, © RMN, Paris
56. Cliché Bibliothèque nationale de France, Paris
60. © British Library, Londres
61. Musée d'archéologie du Morbihan, Vannes, photo A. Percepied
62. Cliché Bibliothèque nationale de France, Paris
63. Studio Fotografico Quattrone, Florence
65, 66. © British Library, Londres
67. © British Museum, Londres # MLA 1856,6 23,166
68. © Musée d'Unterlinden, Colmar, photo O. Zimmermann
69. Scala, Florence
74. V&A Picture Library, Londres # 218-1874
75. Cliché Bibliothèque nationale de France, Paris
76. Musée national du Moyen Âge - Thermes de Cluny # 19093, © RMN, Paris – Gérard Blot
78. © British Library, Londres
79. Kunst und Kultur Schloß Wolfegg
80. Musée du Louvre # 3131, © RMN, Paris
82. © British Museum, Londres # MLA 1977,5-2,1
83. Staatliche Museen zu Berlin-Preußischer Kulturbesitz, Kunstgewerbemuseum # F 1364
84. Musée historique des Tissus 30.020/1 + 2, Lyon, photo Studio Basset
85. © British Museum, Londres # MLA 1892,8-1,47
86. © British Museum, Londres # MLA 1856,7 1,1675
87. © British Museum, Londres # AF 2683
88. Metropolitan Museum of Art, gift of Irwin Untermeyer, 1964, 64.101.409

89. Staatliche Museen zu Berlin-Preußischer Kulturbesitz, Kunstgewerbemuseum # K 6211

93. Musée national suisse # 6957-4

94. Metropolitan Museum of Art, New York, Rogers Fund, 1909 (09.137.2). Photographie © 1990 Metropolitan Museum of Art

95. Atelier Hugel, Villingen

96. © British Library, Londres

97. V&A Picture Library, Londres # 217 1867

100. © British Museum, Londres # MLA 1967, 12.8,6

102. Historisches Museum, Bâle # 1953, 407, Peter Portner

103. Cliché Bibliothèque nationale de France, Paris

104. AKG, Londres

106. Metropolitan Museum of Art, New York, Robert Lehman Collection, 1975 # 1975.I.141. Photographie © 1979 Metropolitan Museum of Art

107. Courtesy H. J. E. Van Beuningen, Cothen, Pays-Bas, photo Tom Haartsen

108. Musée du Louvre # OA 117, © RMN, Paris – Arnaudet

109. INDEX, Florence, Museo Nazionale del Bargello # 155

113. Staatliche Museen zu Berlin-Preußischer Kulturbesitz, Skulpturengalerie # 7950

115. © Paul M. R. Maeyaert, Mont de l'Enclus Orroir, Belgique

116. Musée national du Moyen Âge - Thermes de Cluny # 383, © RMN, Paris

117. Cliché Bibliothèque nationale de France, Paris

119. Photo Stuart Michaels

120. © British Museum, Londres

121. Bibliothèque nationale de la République tchèque, Prague

122. Photo Angelo Hornak, Londres

123. Pierpont Morgan Library, Art Resource, New York

124, 128, 129, 130. © British Library, Londres

133. © RMN, Paris

134. © British Library, Londres

144. © British Museum, Londres # 1855-7-14-11

145. © British Museum, Londres # E.1-134

146. © Cleveland Museum of Art, Delia E. and L.E.Holden Funds, 1932.179

147. Les Musées de la ville de Strasbourg

148. Photo Stuart Morgan

149. Musée du Petit Palais, Avignon # MNR 320